中國學研究法

武內義雄 著
吳　　鵬 譯

臺灣學生書局 印行

校閱序

　　武內義雄（1886-1966）出生於三重縣，字誼卿，號述庵。其學問是以京都中國學、清朝考證學、江戶校勘學和漢代以來的目錄學為基底而樹立的原典批判的文獻考證學和中國思想史學。《支那學研究法》是武內義雄自東北大學退休而移居東京的昭和二十二年（1947）孟秋，應來訪的東北大學學生的請求，修改舊作而成的。全書凡三篇，〈第一總論〉是修正大正十三年（1924）於東北地方中等教員講習會講演的〈漢學研究法〉而成，〈第二文字學〉是昭和六年（1931）刊載於《岩波講座日本文學》，〈第三目錄學〉是昭和七年（1932）於東北大學圖書館講習會講演的修訂。〈第一總論〉是武內義雄著述《支那學研究法》要旨的所在，既說明文字學和目錄學是中國學研究法的基礎，也強調輯佚、校讎和整理是中國學的共通研究法。〈第二文字學〉分別說明文字的形、音、義。〈文字之形〉首先敘述甲骨文字以來漢字的變遷，其次以《說文解字》為中心，說明六書的構造，繼承江永與狩谷掖齋的「四體二用」之說，進而指出《說文解字》在究明文字構造和本義。〈文字之音〉羅列魏晉以迄明代韻書五十四種，並根據《隋志》以及其他著錄所載韻書的時代順序，探究音韻的變遷。〈文字之意義〉則說明文字的本義，轉注義和假借義，繼承清朝考證學之明古音以正訓詁的傳統，強調究明魏晉以前的音韻，才能理解文字的假借轉注。〈第三目錄學〉敘述劉歆《七略》以迄《明史‧藝文志》之正史目錄與分類的變遷，探究劉向《別錄》到《四庫全書總目提要》的解

題，明末清初藏書家目錄的旨趣，說明校勘學勃興的經緯。目錄學的重視是京都中國學的傳承，內藤湖南有《支那目錄學》的專著，狩野直喜《中國哲學史》也指出古典的批評、訓詁和校勘是中國古典的研究法，而目錄學則是選別中國哲學史文獻的重要依據。武內義雄繼承師說，強調文字學和目錄學是中國學研究法的基礎。

　　武內義雄先生於古希祝壽宴會，講演「高郵王氏の學問」，說明戴段二王之細密實證的乾嘉學風，正確詮釋古代語言的「舌人意識」是其學問宗尚的所在。金谷治先生說：《支那學研究法》雖是為有志於中國學研究之初學者提示最基礎的方法而刊行的，卻超越入門書的範疇，是武內義雄先生學術圓融之後的著作，不但以獨創的見解，敘述自身的學問方法，也說明清朝考證學是京都中國學的核心所在。

　　淡江大學陳仕華教授欲余選書翻譯，竊謂武內義雄先生所言：「漢學浩翰淵海而中國古典文獻之研究，固有共通的方法，其基礎即是文字學和目錄學」，乃其兼融訓詁學、校勘學、目錄學，從事古典文獻考證學的宣言。其《支那學研究法》或可作為授受「治學方法」與「國學導讀」之資，乃囑咐吳鵬君翻譯。吳君負笈長崎，隨余共治京都中國學，以《京都中國學派之論語研究》取得博士學位，返回中國，任教於天津師範大學。其孜矻勵學，蓋能體得武內義雄先生的學問，《中國學研究法》乃更易《支那學研究法》的書名，增添章節之標示的翻譯，頗能如實曲盡原書的旨趣。又擬說明武內義雄先生中國學研究法的要義，附錄吳君的〈武內義雄的《論語》研究〉與拙作〈武內義雄的老莊研究〉，進而探究武內義雄先生古典文獻考證學的涵義。

連清吉　識

譯者序

　　2007 年，我幸運的考入日本長崎大學大學院，從連清吉師攻讀碩士和博士學位，開始專研日本漢學。入學伊始，連老師便推薦研讀武內義雄先生的《支那學研究法》，意在啟蒙日本漢學研究之門徑。對我而言，從日本語言文學轉越至日本漢學，其間跨度頗大。面對書中一行行佶屈聱牙的繁體文字和日語訓讀文，彷徨畏懼之感，不時襲來。所謂勤能補拙，經過不斷艱難前行，在連老師的悉心指導之下，終於能夠淺悟日本漢學的法門，並決定以《支那學研究法》為基本文獻，研究武內義雄先生的學問方法，進而探討日本近代中國學的特質。可以說，《支那學研究法》是開啟我學問研究生涯的啟蒙寶典。

　　大體而言，武內義雄的學問方法主要是建立於文獻考證學和原典批判學基礎之上的中國思想史學。其中，文獻考證學主要包括訓詁學、目錄學和校勘學；而原典批判學則是在繼承西歐古典文獻批判學的基礎之上，援用目錄學和日本江戶儒者富永仲基的「加上法」而成立。《支那學研究法》正是系統整理論述「武內學」學問方法的著作。

　　雖然武內義雄先生自謂撰寫《支那學研究法》之目的在於為漢學研究者指明最基本的研究方法，但實際內容則遠遠超越了入門書的水準。此書是武內義雄先生學問圓融之後的集大成之作，也是其學究生涯最後的著作，不但以獨創的見解敘述自身的學問方法，同時還明確顯示出代表日本近代漢學之最高水準的京都中國學的核心

內容，是了解日本近代漢學學問方法及學問宗尚的絕佳文獻資料。

　　2012 年，我取得博士學位後歸國，隨即於天津師範大學外國語學院日文系任教，擔任日語專業本科生教學工作。歸國前夕，連老師叮囑：「有時間要將武內義雄先生的《支那學研究法》翻譯為中文，此書不僅是海外中國學研究的珍貴文獻，也堪當『國學導讀』的重要參考。」因此，歸國後就開始著手翻譯。翻譯完成後，連老師擔當校閱，認真審閱，精當核正，指正出不少譯文中的疏漏和錯譯。於此書付梓之際，特別感謝恩師的諄諄教誨和悉心指導。

　　由於譯者學力不逮，時間有限，譯文中難免存在失當、疏漏乃至錯誤之處，祈請學界前輩同仁批評指正。

吳　鵬　識

作者序

　　我自大正十二年春天開始，連續二十三年在東北大學執教。去年夏天退職，移居東京生活，但很難適應當地的配給生活制度。加之剛剛離開大學校園，生活愈發寂寥乏味。鄰家庭院裡聳立著幾棵白樺，葉子的顏色暗示著初秋時節已然到來。當我正在傾聽廊下傳來的鋼琴聲，眺望茫然漂泊於天地之間的浮雲之時，東北大學的學生突然到訪。在萬般無聊之時能夠見到學生，當然十分欣喜。問其來意方知，自退職以來，學生由於失去指導教員而迷失研究方向。於是和他聊了一些我平日間經常考慮的問題，但由於時間有限，無論如何也不能做到面面俱到。於是萌發了撰寫「中國學研究法」的想法。但是，「中國學研究法」是一個非常龐大的課題，只有胸藏萬卷書學貫古今的學者才有可能完成。我自愧學識淺薄，擔心自己是否能夠擔當，只能整理在仙台任教時的舊稿，先後整合出「漢學研究法」、「中國文字學」和「目錄學」，將三者整合為一，取名《中國學研究法》。此書嘗贈與東北大學的幾位同僚，有幸得到他們的諸多賜正。

　　大正十三年夏，我曾經在文部省舉辦的東北地區中等教師講習會上發表「漢學研究法」，本書的第一部分「總論」即以此為基礎形成。第二部分的「文字學」是昭和六年投稿「岩波講座日本文學」的論文稍加修改而成。而第三部分的「目錄學」則是同年夏天應東北大學圖書館館長村岡典嗣之邀在圖書館講習會上演講的草稿為基礎修正改寫而成。雖說此三部分的主旨以及撰寫目的各有不

同，但我一直主張中國學研究的基礎在於文字學和目錄學，所以將
兩者整合為一，最初的「漢學研究法」作為總論，其他兩部分作為
補充說明。希望本書可以在一定程度上為中國學研究者提供參考。

　　另外，感謝好友內藤乾吉為本書題寫書名。內藤乾吉為恩師內
藤湖南先生之子，學問淵博，書法端雅。對我而言，見書名則如面
恩師。

昭和二十三年一月

東京阿佐谷僑居

武內義雄

中國學研究法

目　次

第一章　總　論

第一節　敘　說

　　「支那學」一詞源自英文 sinology 和法文 sinologie，是關於中國各個領域學問的總稱。其範圍即為廣泛駁雜，包括宗教、哲學、道德、政治、文學、藝術、以及歷史、地理、經濟等，可以說是幾乎囊括所有的領域。當然，各個領域之內都存在對應的研究方法，但不可否認的是，既然各個領域的學問皆以文獻作為基礎資料，那麼這些領域之間一定存在共同的研究方法。

　　中國的文獻自古以來習慣分為「經」、「史」、「子」、「集」四部，經部和子部大致是關於哲學思想的文獻，而「集」部文獻屬於文學性作品，「史」部則為記錄歷史地理的文獻資料。但是，這樣的分類原本基於書籍的編纂樣式，而並非一定依據書籍的內容。譬如，經部文獻中不乏如同《詩經》一般的文學作品，也不乏《尚書》、《春秋》等歷史資料。再如，集部收錄的學者或思想家的文章中也有不少關於哲學思想和具有史料價值的文獻。而史部的書籍中又多有源自子部和經部的引用文。所以，從事中國學研究的學者，無論學問領域，必須廣泛涉獵「經」、「史」、「子」、「集」全部文獻。既然基礎研究對象皆為文獻，那麼共通的文獻研

究方法也應該存在。在此，筆者根據自身的研究經驗，以文獻的處理方法為中心，論述中國學的研究方法。

第二節　鑒別文獻資料

鑒別文獻資料是中國學研究的第一步。清儒張之洞說：「一分真偽而古書去其半，一分瑕瑜而列朝書去其十之八九矣。」（輶軒語一）。現存文獻資料中偽作頗多，如果都以肯定的態度予以接受，在研究中就很容易陷入時代錯誤，無法得出合理的結論。所以，鑒別文獻真偽是中國學研究的第一步。

偽造文獻的原因和目的可歸納為以下五種：

1、尚古癖；2、學派對抗；3、趨利而為；4、以欺人為快；5、作者有意匿名。

以下分別舉例加以說明。

1、偽造書籍是為迎合中國人的尚古癖好。譬如，《漢書・藝文志》（諸子略・農家）中收錄有《神農》十二篇，書目之下附註：「六國時，諸子疾時怠於農業，道耕農事，託以神農。」從書名上看，作者似乎是神農，但根據注文可知，作者實為戰國時代之人，為了增強自身學說的影響力而特意假託神農之名。另外，《孟子・滕文公》也說：「有為神農之言者許行」，所以假託神農的著作成書年代大都在孟子之後。

再如，同樣在《漢書・藝文志》中收錄有：

　　《黃帝君臣》十篇　「起六國時，與老子相似也。」（諸子略，道家）

《雜黃帝》五十八篇　「六國時賢者所作也。」（諸子略，道家）

《黃帝泰素》二十篇　「六國時漢韓諸公子所作。」（諸子略，陰陽家）

《黃帝說》四十篇　「迂誕依託。」（諸子略，小說家）

以上書籍雖然明確說明為黃帝所作，但根據注文可知，實為戰國以後的偽書。另外，據說《黃帝君臣》十篇與《老子》相似，而《莊子》、《列子》中又引用黃帝的言語，所以，此書或出於戰國時代老莊學派學者之手。《淮南子‧修務訓》有云：「世俗之人多尊古而賤今，故為道者必托於神農、黃帝而後能入說。」此即為中國人尚古癖的鮮明寫照。

　　2、由於學派間的相互對立抗拮而產生的偽書中最具代表性的是《孔子家語》。《漢書‧藝文志》（六藝略，論語）收錄《孔子家語》二十七卷，今本則為王肅注《孔子家語》十卷四十四篇。初唐學者顏師古曾指出兩者完全不同（《漢書藝文志注》），而《禮記‧樂記》疏中記有：「馬昭曰：『《家語》，肅所增加』」，同時《禮記‧王制》的疏又記有：「《家語》，先儒以為肅之所作，未足信」。可以推測，今本《孔子家語》實為王肅偽作，不同於漢代舊本。清代學者范家相的《家語正譌》、孫志祖的《家語疏證》以及陳士珂的《孔子家語疏證》中列舉各種證據，證明今本《孔子家語》是偽作，至今已成學界的定說。王肅，三國時代魏國人，是漢儒鄭玄的反對者，所著《聖證論》中屢屢引用《孔子家語》反駁鄭玄的主張。可見，王肅偽作《孔子家語》的根本目的在於抗衡鄭玄學派。

　　另外，一般認為，《尚書孔傳》五十八篇為西漢學者孔安國所作。南宋大儒朱熹則提出質疑，同時清代學者閻若璩耗盡一生心血著述《尚書古文疏證》八卷，論證《古文尚書》的真偽，指出《古文尚書》本文五十八篇中的大部分都是東晉梅賾的偽作，大體與《尚書孔傳》同時成書。而後，丁晏又在《尚書餘論》中指出，《古文尚書》確係偽書，但在梅賾之前既已存在，《尚書孔傳》最初出現於王肅注《孔子家語》的序文中，王肅的解說亦與對《尚書》的解說一致，故而推斷，《尚書孔傳》也是王肅為反對鄭玄學派，為自家的學說樹立理論依據而偽造的。總之，偽作《尚書孔傳》是由於學派對抗，是毋庸置疑的。不過，何時成書，出自何人之手尚有待檢討。

　　3、受利欲驅使，偽造書籍的代表人物是劉炫。中國自古革命多發，每逢戰亂，必有不少文獻典籍毀於兵焚。而新興王朝在天下大定之後，為謀圖文藝復興，大都會廣蒐訪求散逸文獻典籍。《隋書·經籍志》（卷一）記載隋朝在天下一統之後隨即開始書籍蒐集事業：「隋開元三年，秘書監牛宏請表分遣使人，搜訪異本，每書一卷，賞絹一匹。」另外，《北史·劉炫傳》中則記載劉炫進獻偽書：「劉炫，字光泊，河間景城人……時牛宏奏購求天下遺逸之書，炫遂偽造書百餘卷，題為《連山易》、《魯史記》等，錄上送官，取賞而去。」劉炫偽造的《連山易》和《魯史記》早已散佚不傳，而流傳至今的《古文孝經孔氏傳》則是劉炫偽造。近藤正齋在《右文故事》（附錄卷四）中對足利學校所藏現存《古文孝經》作如下解說：「守重案（近藤正齋之諱）：『《三代實錄》中記有，清和天皇貞觀二年十月十六日之制，此間學令以孔鄭二注為教授之正業，然其學徒相沿盛行於世者安國之注、劉炫之義也。』今案：

『大唐玄宗開元十年，選御注《孝經》作新疏三卷，以為……，安國之本梁亂而亡，今之所傳者出於劉炫……』」。可見，現行本《古文孝經孔氏傳》確是劉炫偽作。足利學校所藏真本《古文孝經》的卷首有孔安國的序文，序文之下寫有詳細注釋。將這些注釋較以晚近舟橋家所藏劉炫的《孝經述義》可知，序文後的注釋不僅大部分出自《孝經述義》，而且其中兼採孔安國和劉炫的釋義。另外，據《孝經述義》記載，《孝經孔氏傳》早已散佚，但隋初一位叫王邵的人偶得一本，並示與劉炫。劉炫則與其友人劉焯共同研讀，認為是頗為精善的注本。於是撰寫《孝經去惑》一卷，說明鄭玄注中的不妥之處，又撰寫《孝經稽疑》一卷，訂正新得《孝經孔氏傳》中存在的傳寫錯誤，最後則踏襲《孝經孔氏傳》撰寫《孝經述義五卷》。所以，現存的《孝經孔氏傳》應該是經劉炫之手問世的。《三代實錄》中所謂：「今之所傳者出於劉炫」，並懷疑《孝經孔氏傳》是劉炫偽作亦不無道理。由於中國散佚不傳的《孝經孔氏傳》偏偏殘存於我國（日本），所以不少中國的學者懷疑此書是日本學者偽造。綜合考慮《孝經述義》的記載和劉炫其人的性格則不難發現，偽作此書之人定是劉炫，絕非日本人。這是在利欲的驅使下偽造書籍的典型實例。

　　4、以欺騙他人為目的偽造書籍的代表人物是明代的豐坊。豐坊偽造《河圖石本》、《魯詩石本》以及《大學石本》，謊稱是先祖豐清敏自秘府所得；還偽作《朝鮮尚書》和《日本尚書》，謊稱是先祖豐慶自譯館所得。這些事記載於全祖望的《天一閣藏書記》（鮚埼亭集外篇卷十七）。這些偽書中最有名的是《大學石本》，其中的「修身章」中插入《論語》「顏淵問仁章」的內容，並於末尾附加「孔伋窮居於宋，懼聖道之不明，乃作大學以經之，中庸以緯

之。」《大學》原本是《禮記》中的一篇，作者不詳，《大學石本》中卻主張《大學》與《中庸》皆出自孔伋，即子思之手，是儒學發展史上具有重要意義的經典。對於如此謬論，清儒早已論證批判，特別是毛奇齡在《大學證文》中的論證更加詳細。

5、明代胡應麟的《少室山房筆叢》（卷三十二）中有載：「《碧雲騢》，撰稱梅堯臣，實魏泰也」，並引用宋代王銍語：「魏泰場屋不得志，喜偽作他人著書，如《志怪集》、《括異志》、《倦游錄》盡假明武人張師正，又不能自抑出姓名。作《東軒筆錄》，皆私怒誣衊前人。最後作《碧雲騢》，議及范仲淹，而天下駭然不服也。」可見《志怪集》、《括異志》、《倦游錄》的作者被假託於張師正，而《碧雲騢》的著者則被假託於梅堯臣。因為實際作者在書中妄自非議前人，所以故意匿名。

凡偽造書籍的原因和目的是各種各樣的，不能一概而論。以上所列舉的五種最為普遍。中國的文獻之多可謂世界第一，而其中偽作之多亦可謂天下第一，故而中國人常道：「盡信書不如無書」。正是由於中國偽書氾濫，所以必須將甄別文獻資料真偽作為中國學研究的第一步。而胡應麟曾在《少室山房筆叢》（四部正譌）中歸納出鑒別文獻真偽的方法：

一、覈之《七略》，以觀其源；

二、覈之群志，以觀其緒；

三、覈之並世之言，以觀其稱；

四、覈之異世之言，以觀其述；

五、覈之文，以觀其體；

六、覈之事，以觀其時；

七、覈之撰者，以觀其託；

八、覈之傳者，以觀其人。

　　第一條中的「七略」即為漢代劉歆所著《七略》。昔秦始皇控制言論禁止挾書，而秦亡漢興後及漢惠帝時，廢除挾書令，漢武帝又設置寫書之官，廣搜天下文獻典籍。之後，漢成帝時，敕命群臣校訂秘府藏書，劉向監督。劉向每完成一書之校訂後，立即整理該書篇目，根據內容撰寫解題。最後，這些解題也被整合為一，此即為《別錄》。劉向在整理文獻典籍方面可以說是傾注了一生的心血，但不幸的是，校訂事業中途就離開人世。漢哀帝則命劉向之子劉歆繼續其父事業。劉歆則綜合群書，整理出書籍目錄，命名為《七略》。之所以冠名為《七略》是因為，書籍目錄分為「輯略」、「六藝略」、「諸子略」、「詩賦略」、「兵書略」、「術數略」以及「方技略」的七種類。《七略》是中國最早的目錄，是非常寶貴的文獻資料，但卻散佚不傳。所幸它被班固收錄於《漢書》「藝文志」之中，從中我們可以看到《七略》的大致內容。所謂「覈之《七略》，以觀其源」是指在甄別文獻真偽之時，應該首先查閱《漢書‧藝文志》，確定是否著錄。如果著錄其中，則證明此書是漢代以前的舊本。

　　第二條中的「群志」是指效仿《漢書‧藝文志》的體例編撰的《隋書‧經籍志》、《舊唐書‧經籍志》、《唐書‧藝文志》、《宋史‧藝文志》和《明史‧藝文志》等中國歷代的正史目錄，以及晁公武的《郡齋讀書志》為代表的很多宋代以後的私人藏書目錄。以上的各種正史目錄與私人藏書目錄合稱為「群志」。在鑑別書籍真偽時，根據「群志」探索書籍的沿革，即所謂「覈之群志，

以觀其緒」。

　　第三條的「覈之並世之言，以觀其稱」是指，檢查書中用語是否與該書問世的時代相符，這有助於甄別文獻資料的真偽。大體而言，各個時代都擁有具有時代特徵的用語。如果漢代書籍中出現具有唐宋特色的用語，該書之真偽則有待檢討。譬如，《五子之歌》（《尚書》）中「鬱陶乎予心」的「鬱陶」二字，《尚書孔傳》中的解釋為「鬱陶言哀思也」，但《孟子》中將卻其解釋為「我鬱陶思君」，即指高興、歡喜之意，而《爾雅・釋詁》中也將其解釋為「鬱陶喜也」。可見，「鬱陶」一詞原本的意思為高興、歡喜，後世漸次轉用為哀思之意。而《五子之歌》中卻將其用於轉用義，說明必定是後世學者的編撰，閻若璩的《尚書古文疏證》中也曾以此為例證，指出《古文尚書》中的用語帶有時代錯誤。

　　第四條的「覈之異世之言，以觀其述」是說，在甄別書籍真偽時，應該注意後世文獻中該書籍內容的引用情況，並對照比較。這也是判斷文獻真偽的方法之一。譬如，《孟子》中有引自《尚書》的言語，其中今文部分全部和今本《尚書》吻合，而古文部分則不同於今本。這證明今本《古文尚書》並非《孟子》引用的真本。

　　第五條是指根據文體判斷文獻的真偽。一般而言，文章的文體隨時代之推移而發生變化，後世學者無論如何努力模仿古代文體，都不能完全掩飾時代的痕跡，其中或多或少都會暴露出一定的時代特徵。譬如，相傳《尚書》「大誥」是周公所作，而據《漢書》記載，王莽嘗模仿撰寫過「大誥」，《北史》記載，蘇綽也曾仿作。但將三者加以比較則不難看出，王莽的文章雖然句句都在模仿周公，但毫無生機活力可言，宛如小學生作文一般；而蘇綽的文章雖說條理通達，但文中對仗工整，頗具漢代文章風格。這說明文章的

文體、格調以及風格是隨時代變化而發生變化的。主張《古文尚書》偽作說的閻若璩和馬繡雜談時曾經言及自身研究《尚書》的心得。馬繡表示讚同的同時，又命人取來白文（未施句讀和注釋的文章）《尚書》和蔡傳的《尚書》（《尚書蔡傳》）各一部，與閻若璩一同對照兩者古文部分的區別，發現始終沒有任何錯誤。但馬繡認為，古文部分在文體方面與今文部分不同，多用對仗，這是六朝文風的體現。通過此事，閻若璩對自身主張的《古文尚書》偽作說更加自信了。這是根據文體區別文獻書籍年代的一個典型實例。

　　第六條是指檢查文獻記事中是否出現後世的事件，記事本身是否與事實相悖。如果確是如此，則應該質疑該書的可信性。

　　最後的第七條和第八條分別是指根據書籍的著者及其性格推測文獻真偽。如果撰著者或傳承者嗜作偽書，那麼其著作的可信性則有待商榷。譬如，《孔子家語》的編撰者是王肅，所以此書極有可能是偽書，同樣《大學石本》出於豐坊之手，故其可信度不高。

　　以上八條是甄別文獻真偽最直接、最有效的方法。簡而言之，鑒別文獻真偽的方法是，首先檢討書籍目錄，再考察文獻內容、文體以及用語。由此可見，檢討目錄是最基礎的操作。換而言之，目錄是鑒別文獻真偽的標準。清朝考證學家將這種方法稱為「目錄學」。關於目錄學，清儒王鳴盛在《十七史商榷》（卷一）中指出：

　　　　目錄之學，學中第一緊要事，必從此問塗，方能得其門而入。然此事非苦學精究，質之良師，未易明也。自宋之晁公武，下迄明焦弱侯一輩人，皆學識未高，未足剖斷古書之真偽是非，辨其本之佳惡，校其訛謬也。

王鳴盛認為，目錄學是以書籍目錄為尺度標準甄別古書真贗的方法，是古典研究的基礎學問。王鳴盛，字鳳喈，號西沚，浙江嘉定人，惠棟門生。而惠棟的學問是以《尚書》的真偽問題為中心，其著《古文尚書考》和閻若璩的《尚書古文疏證》都是從檢討《漢書・藝文志》關於《尚書》的記錄開始，發現「藝文志」記載的《尚書》篇數和現行本有所不同，並以此為疑點展開詳細的考證，是以目錄學為基礎研究方法的典型實例。王鳴盛則繼承惠棟的學問，大力提倡目錄學。可見，目錄學是剖斷古典文獻真偽的尺度和標準，運用的實例即為惠棟的《古文尚書考》和閻若璩的《古文尚書疏證》。

第三節　輯　佚

眾所周知，中國的文獻數量龐大，種類繁多，但翻閱歷代圖書目錄會發現，散佚書籍也為數不少。我們在研究現存文獻時，有必要回顧這些既已散佚的文籍，這就是輯佚的由來。

所謂輯佚是指，匯集其他書籍中的引用文，最大限度的復原散佚文籍的內容。輯佚在清代最為隆盛。康乾盛世之時，江蘇吳縣出現惠周惕、惠士奇以及惠棟一族的三代學者，提倡復興傳統漢學。惠棟最主要的著作是《周易述》和《易漢學》，廣泛蒐輯記錄漢儒的《易》註疏。而惠棟門下又有江聲、王鳴盛，江聲著有《尚書集註音疏》，蒐輯記錄馬融和鄭玄的《尚書》注釋；而王鳴盛則在匯集馬融、鄭玄和王肅的《尚書》注釋的基礎上加以評論，完成《尚書後案》。與江、王二人同時的學者孫星衍則網羅蒐輯古來的《尚書》注釋，著成《尚書今古文註疏》，成就千古絕學。此類有關

《尚書》輯佚可以說是清代漢學的先驅，其學問之根本即在於輯佚漢代經學大師的舊注。乾隆中期，敕命開四庫全書館廣蒐前代文獻典籍，學者朱筠發現翰林院所藏永樂大典中記載很多源自古書的引用文，於是奏請蒐輯這些古典遺文，以圖復原部分佚書。現在《四庫全書》中被稱為「永樂大典本」的書籍多達兩百七十部，皆為朱筠輯佚的成果。同時，與朱筠私交甚密的學者余蕭客和任大椿皆有輯佚之作，前者著有《古經解鉤沉》、後者著有《小學鉤沉》，對學界裨益頗多。清代是古典輯本問世最多的時期，其中頗具代表性的還有，馬國翰的《玉函山房輯佚書》和嚴可均的《全上古三代秦漢三國六朝文》。前者廣蒐經史子三部中佚文，種類多達五百八十種，但未涉及集部中的佚書。而完成集部佚書輯佚者即為嚴可均。《全上古三代秦漢三國六朝文》正如書名所示，包括上古至六朝末期諸多名家的著作，如果某些書籍既已散佚的部分殘存於其他書籍中，則全部蒐輯羅列，註明出處，就連隻言片語也不例外。由於清代儒者的考訂極為縝密，故而時會出現對馬國翰、嚴可均輯佚之作的批判，但筆者（武內義雄）認為，馬、嚴二人的著作中雖有不足，但瑕不掩瑜，不能以此否定二人在輯佚方面的豐功偉績。

　　清朝學者對輯佚的貢獻巨大，輯佚的業績也是數不勝數。但這其中也有我國（日本）舊抄本貢獻。這些舊抄本中最具代表性的是皇侃《論語義疏》十卷。皇侃，梁代學者，著有《禮記義疏》百卷和《論語義疏》十卷。其中《禮記義疏》既已散佚不傳，而《論語義疏》在中國已經亡佚，所幸流傳至日本，保存在宮內府圖書寮和足利學校遺跡圖書館。寬延年間，根本遜志以足利學校藏本為基礎，校訂復刻皇侃《論語義疏》十卷，之後此書又流傳回中國，被收錄入《四庫全書》和鮑廷博的《知不足齋叢書》。以根本遜志的

校刻本為基礎，吳騫撰寫《皇氏論語義疏參訂》十卷，桂文燦又撰寫《論語皇侃疏證》十卷。而馬國翰則從中蒐輯整理出眾多前人注釋的譯文，包括鄭玄、王朗、王弼、衛瓘、繆播、郭象、欒肇、虞喜、庾冀、李充、范寧、孫綽、梁覬、袁喬、江熙、殷仲堪、張憑、蔡謨、顏延之、釋慧琳、沈驎士、顧歡、太史叔明、褚仲都、沈峭、熊埋等人的注釋。因此，《四庫全書總目提要》（卷七，四書類一）中盛讚根本遜志校刻的《皇侃論語義疏》：「魏晉經學之一線由此存於今」。

另外，《群書治要》五十卷也是日本舊抄本的代表。貞觀十五年，唐太宗命魏徵、虞世南、蕭德言等人摘錄經、史、子三部書籍中與政治有關的內容，彙編成為《群書治要》，是唐代非常重要的典籍之一，但宋代以後卻不為人所重視，最終散佚不傳。而我國（日本）自古就頗為重視此書，曾經被用於天皇的教科書。鎌倉時代，將軍也非常重視此書，建長、文應年間，北條實時命清原教隆從新校刻《群書治要》五十卷，收入金澤文庫，而後又被轉移至德川家的紅葉文庫，現藏於宮內府圖書寮，有元和活字本、天明尾州藩本等不同版本。由於此書基於唐代的舊本，而唐代舊本在中國早已散佚，所以清朝考證學家非常重視。譬如，《群書治要》中收錄的《孝經》是亡佚許久的《孝經》鄭玄注，是非常珍貴的文獻資料。所以，河村益根、岡田挺之和瀧木青淵根據此書復原了鄭注《孝經》，中國的學者也以此書為基礎詳加考證，致力於鄭注《孝經》的輯佚，其中皮錫瑞的《孝經疏證》是最具代表性的。而最近我國（日本）學者林秀一教授參照敦煌出土文獻進行研究，使鄭注《孝經》的輯本更加精善。另外，據好友石浜純太郎的考證（《支那學論考》所收「《群書治要》之〈史類〉」），《群書治要》所收錄的史

部書籍中的蔡謨集解本《漢書》是顏師古注本以前的舊本，臧榮緒的撰本《晉書》也是早已散佚的書籍。不僅是經部和史部，《群書治要》的子部中也收錄很多既已散佚的書籍文獻，馬國翰和嚴可均蒐集的諸子佚文中有很多來源於《群書治要》，包括《鬻子》、《慎子》、《陸賈新語》、《桓子新論》、《崔氏政論》、《仲長子昌言》、《蔣子萬機論》、《劉氏政論》、《桓氏世要論》、《杜氏體論》、《傅子》以及《袁子正論》等。嚴可均的諸子佚文輯佚本編入《全上古三代秦漢三國六朝文》之中，而其序文則收錄於《鐵橋漫稿》中。

　　如上所述，日本古抄本中有不少都是在中國既已散佚的文獻資料。林述齋曾經系統整理、校核這些文獻，出版《佚存叢書六帙》。陪伴駐日公使黎庶昌來日的楊守敬非常喜好結交日本知識分子，因而搜集到不少日本古抄本，並整合成為《古逸叢書》出版發行。以下，筆者分別列舉《佚存叢書六帙》和《古逸叢書》的目錄，並試做分析。

　　◦《佚存叢書六帙》目錄：

　　　《古文孝經孔氏傳》一卷，漢，孔安國

　　　《五行大義》五卷，隋，蕭吉

　　　《臣軌》二卷，唐，武后

　　　《樂書要錄》三卷，原十卷，佚七卷，今存五、六、七，三卷

　　　《兩京新記》一卷，原五卷，佚四卷，今存第三卷，唐，韋述

　　　《李嶠雜詠》二卷，百二十首，唐，李嶠

　　　（以上第一帙）

　　　《文館詞林》四卷，唐，許敬宗等編，原一千卷今存六百六十二、六百六十四、六百六十八、六百五十九，四卷

　　《朱子感興詩注》一卷，門人蔡模學，附武夷擢《歌注》一
　　　卷，陳晉注
　　《泰軒易傳》六卷，宋，李中正
　　《左傳蒙求》一卷，元，吳化龍
　　（以上第二帙）
　　《唐才子傳》十卷，元，辛文房，西域人
　　《難經集註》五卷，明，王九思等
　　（以上第三帙）
　　《古本蒙求》三卷，唐，李瀚
　　《玉堂類稿》二十卷，附《西垣類稿》二卷，又《玉堂附
　　　錄》一卷，宋，崔敦詩
　　（以上第四帙）
　　《周易新講義》十卷，宋，龔原
　　（以上第五帙）
　　《許魯齋先生心法》一卷，明，韓士奇
　　《宋景文公集》，原一百五十卷，今存三十二卷，宋，宋祁
　　（以上第六帙）

以上書籍在中國早已散佚不傳，幸好我國（日本）還保存古抄本。
林述齋的《佚存叢書》傳入中國後，馬上被阮元復刻出版，同時還
特別為其中的《兩京新記》、《五行大義》、《文館詞林》、《臣
軌》、《樂書要錄》、《泰軒易傳》、《難經集註》、《玉堂類
稿》、《西垣類稿》以及《周易新講義》等書添加解題後，收入
《四庫未收書目》之中。由此可見中國學界對《佚存叢書》的重視
程度。另外，筆者在此還想對《五行大義》稍加說明。

　　《五行大義》為隋代蕭吉所著，主旨在於博採經書和緯書，說

明五行的大義。蕭吉是梁武帝之兄,梁亡後則仕於周,之後又仕於隋,可見其人品低劣。但《五行大義》卻可以說是詮釋「五行說」的典範。《隋書・經籍志》和《新唐書・藝文志》中都沒著錄《五行大義》,而《舊唐書・經籍志》中卻記載有《蕭吉五行記》五卷,這是宋代以後的著錄,所以《五行大義》在中國早已亡佚。而據《經籍訪古志》記載,我國(日本)傳承的《五行大義》有栗田青蓮院所藏(鎌倉相承院所藏)元弘三年卷子本和高野山三寶院所藏粘葉綴古抄第五卷殘本。版本也分為兩種,第一種是元祿十二年一色時棟校刻,第二種則是寬正十一年收錄於林述齋《佚存叢書六帙》中的版本。第一種版本是青蓮院藏本的復刻版,而第二種版本的源流卻不甚明瞭。恩師內藤湖南先生認為兩種版本完全相同,所以源流也一致。青蓮院本原來藏於相承院,後轉移至大和的壽命院,之後又流入栗田的青蓮院,最後被久邇宮家收藏。久邇宮朝彥親王最初稱為尊融法親王,曾經在青蓮院修行,文久年間敕命還俗,被稱為中川宮,之後改稱久邇宮。所以,久邇宮的藏書中有不少來自青蓮院也是理所當然的,而《五行大義》正是其中之一。已故富崗桃花先生曾經說,久邇宮家藏本的後記中引用了很多唐代以前的韻書,是音韻學研究的珍貴資料。筆者至今尚未得見久邇宮家藏本的原本,但在伊勢神宮文庫中看到過它的影印本,表裡分別以雙鉤填墨,將表裡合併製作成和原本一樣的卷子本。另外,正如富崗桃花先生所說,後記部分裡引用了陸法言等諸家的《切韻》以及菅原是善的《東宮切韻》,的確是古音韻學研究的重要文獻資料。可以說,久邇宮家的卷子本不僅完全保存了蕭吉的《五行大義》,還保存著不少散佚韻書的內容,是極為珍貴的典籍。傳聞此書的原本既已於數年前毀於火災,如果真是如此,伊勢神宮文庫的影印本

則成為天下孤本，更為珍貴。

　　以下筆者再列舉《古逸叢書》的目錄。

　　○《古逸叢書》目錄：

　　　　《影宋蜀大字本爾雅》三卷

　　　　《影宋紹熙本穀梁傳》十二卷

　　　　《影正平本論語集解》十卷

　　　　《覆元至正本易程傳》六卷、《繫辭精義》二卷

　　　　《覆舊鈔卷子本唐開元御注孝經》一卷

　　　　《集唐字老子注》二卷

　　　　《影宋台州本荀子》二十卷

　　　　《影宋本莊子註疏》十卷，唐，成玄英

　　　　《覆元本楚辭集註》八卷、《辯證》二卷、《後語》六卷

　　　　《影宋蜀大字本尚書釋音》一卷

　　　　《影舊鈔卷子原本玉篇零本》三卷半

　　　　《覆宋本重修廣韻》五卷

　　　　《覆元泰定本廣韻》五卷

　　　　《影舊鈔卷子本玉燭寶典》十一卷，隋，杜臺卿，原十二
　　　　　　卷，今缺第九卷

　　　　《影舊鈔卷子本文館詞林》十三卷半，唐，許敬宗等編，原
　　　　　　一千，今存第一百五十六至八卷、三百四十七卷、四百
　　　　　　五十二卷、四百五十三卷、四百五十七卷、四百五十九卷
　　　　　　（殘）、六百六十五至七卷、六百七十卷、六百九十一
　　　　　　卷、六百九十九卷

　　　　《影舊鈔卷子本珇玉集》二卷

　　　　《影北宋本姓解》三卷，宋，邵思

《覆永祿本韻鏡》一卷，宋，張麟之

《影舊鈔卷子本日本國見在書目錄》一卷，日本，藤原佐世

《影宋本史略》六卷，宋，高似孫

《影唐寫本漢書食貨志》一卷

《唐石經體寫本急就篇》一卷，漢，史遊

《覆麻沙本草堂詩箋》五十八卷，宋，魯訔編，蔡夢弼會箋

《影舊鈔卷子本碣石調幽蘭譜》一卷，陳，丘公明

《影舊鈔卷子本天台山記》一卷，唐，徐靈府

《影宋本太平寰宇記補闕》五卷半，宋，樂史，存卷自一百
　　十三至十七，及十八之半卷

楊守敬的《日本訪書志》中，以上書籍都附有詳細的解說，在此無
需一一贅言。但對於原本《玉篇》和《玉燭寶典》，筆者（武內義
雄）還想稍加說明。

　　首先，在《日本訪書志》中，楊守敬對原本《玉篇》作如下解
說：

　　《玉篇》卷子本四卷，其第十八之後，分從柏木所藏原本用
　　西洋影照法刻之，毫髮不爽，餘俱以傳寫本入木刻成。後日
　　本印刷局長得能良介從西京高山寺借得《系部》前半卷，以
　　影照法刻之，乃又據以重鐫，而《系部》始為完璧。四卷中
　　唯柏木本最為奇古，餘三卷大抵不相先後，然皆千年以上物
　　也。是書所載義訓，皆博引經傳，其自下己意者，則加「野
　　王按」三字。按：顧氏《玉篇》經蕭愷等刪改行世，（見
　　《梁書‧蕭子顯傳》。）至唐上元間，有孫強增加之本，又有
　　《玉篇鈔》十三卷，（見《日本國見在書目》。）是則增、損顧

氏之書，在唐代已有數家。（釋慧力《像文玉篇》，趙利正《玉篇解疑》當別自為書，與顧氏原本不相亂。）然就此四卷核之，則為顧氏原本無疑。今孫強等增損之本已無傳，僅存宋陳彭年大廣益本。餘舊疑廣益本雖亦三十卷，僅分為上、中、下三冊，若顧氏原本更簡，何能分為三十卷？豈知其所云「廣益」者，特于正文大有增益，而注文則全刪所引經典，並有刪其大字正文者。據廣益本于祥符牒後載，舊一十五萬八千六百四十一言，新五萬一千一百二十九言，新舊總二十萬九千七百七十言。又雙注云，注四十萬七千五百有三十字。餘以廣益本合大字注文並計之，實只二十萬有奇，絕無注文四十萬之事。今見此本，始悟其所云「注四十萬」者，為顧氏原本之數，故盈三十卷。舊一十五萬者，孫強等刪除注文，增加大字，並自撰注文之數也。新五萬有奇者，陳彭年等增加大字並自撰注文之數也。或者不察，乃以顧氏原本注文為簡，孫強、陳彭年注文為繁，慎之甚矣，按野王所收之字，大抵本于《說文》，其有出於《說文》之外者，多引《三蒼》等書。於字異義同，且兩部或數部並收。知其網羅《蒼》、《雅》在當時已為賅備。廣益本遞有增益，而不為之分別，使後人無從考驗得失，殊失詳慎。又原本次第多與《說文》同，《說文》所無之字續之於後，廣益本則多所淩亂，間有以增入之字夾廁其中，近人乃欲以《玉篇》之次第校《說文》之次第，不亦謬乎。今顧氏原本雖不得見其全，而日本釋空海所撰《萬象名義》，三十卷。當唐開成、會昌間。其分部隸字，以此殘本校之，一一吻合，則知其全書皆據顧氏原本，絕無增損淩亂。又日本僧昌住新撰《字鏡》十

二卷（日本昌泰間所撰，當唐昭宗光化中），其分部次第雖不同，而所載義訓較備。合之釋慧琳《一切經音義》百卷（唐元和十二年撰，此為中土佚書）、源順《和名類聚鈔》二十卷（日本天延間所撰，當宋開寶間）、具平《弘決外典鈔》四卷（日本正曆二年，具平親王所撰，當宋淳化二年）、釋信瑞《淨土三部經音義》（日本嘉禎二年撰，當宋端平二年），皆引有野王按語，若彙集之以為疏證，使顧氏原書與孫、陳《廣益》本劃然不相亂，亦千載快事也。今第就顧氏所引經典，校其異同，為之箚記焉。（別詳）光緒十年正月。

由此可知，原本《玉篇》和廣益本並不相同，而今本《玉篇》僅存：

一、	卷八	心部一忩部	東洋文庫
二、	卷九	言部一幸部	早稻田大學及福井氏崇蘭館
三、	卷十八之後分	放部一方部	藤田家
四、	卷十九	水部	安田家、藤田家
五、	卷廿二	山部一忩部	神宮文庫
六、	卷廿四	魚部	京都府船井郡高原村大福光寺
七、	卷廿七	糸部一索部	高山寺、石山寺

以上殘存部分不過全書的五分之一，其中只有卷三、卷四、卷五、卷七被收入楊守敬的《古逸叢書》中，不及現存原本的一半。晚近東方文化學院將以上七種版本製作成精美的影印版，而已故岡井慎吾博士則從《八十華嚴音義私記》、《令義解》及其集解、《安然悉曇藏》等三十七種古籍中蒐集出一千六百條原本《玉篇》的佚文，並研究從原本《玉篇》至廣益本《倭玉篇》的變遷經緯（「玉

篇之研究」，「東洋文庫論叢第十九」，東洋文庫出版，昭和八年十二月），這正是楊守敬所言「千載之快事」，是我國（日本）漢學界的驕傲。

其次，《玉燭寶典》十二卷為隋代杜臺卿撰著，杜臺卿是北齊衛尉卿杜弼之子，自幼好學，擅長詩文，曾仕於北齊。據說北周武帝亡齊後，杜臺卿則歸隱鄉里，以《禮記》、《春秋》教授弟子。至隋朝一統，再次應召入朝為官，並將既已撰成的《玉燭寶典》十二卷進獻朝廷，因此受賞絹二百匹。此書於《隋志》、《兩唐志》以及《宋志》中皆有著錄，說明至少傳承至宋代，宋代之後則散佚不傳。幸好我國（日本）前田家的尊經閣存有此書的舊抄卷子本，宮內府圖書寮也保存舊抄卷子本一部。據說江戶時代的佐伯候毛利高翰影印前田家藏本，進獻給幕府，這就是圖書寮藏本。而被楊守敬收入《古逸叢書》中的又是圖書寮藏本的轉寫本。所以，以上三種版本的《玉燭寶典》實出於同一系統。此書原本十二卷，今本十一卷，第九卷散佚。一直以來此書只有《古逸叢書》中收錄的一種版本，後來刊行了尊經閣藏本的影印本，如此我們就可以想像出原本《玉燭寶典》的貌相了。吉川幸次郎曾經為尊經閣影印本《玉燭寶典》作解題，其中有以下一段話：

> 此書撰述之趣旨在於，蓋集成古來時令之書，為其匯總。禹域之人自古信天人相關之說，其政法人間之為應於自然之序為職志，其有伴諸學術。是以《尚書‧堯典》之篇早著敬授民時之說，「夏小正」之篇傳夏禹之法也，降及周季戰國之世，推步之術大闢而節候之測愈密，五行之說紛起，而禁忌之語又繁。秦相呂不韋包羅其為「十二紀」，以冠於《呂氏春秋》之首，漢儒所編之《禮記》抄合「十二紀」而入篇，

即所謂「月令篇」是也。其他《逸周書》有「時訓解」，《淮南子》有「時則訓」，體裁皆近於「月令」。西漢之祚正絕，而緯候起於哀平也，亦盛言天人之際，東漢崔寔之「四民月令」之屬別為農庶。凡此等諸書，抄載在於臺卿之書。其間如有己見之可述者，著「今案」二字注之。卷末又有正說附說。正說商訂前聞之疑誤，附說雜載今俗之瑣事。皆博雅而可悅也。附說殊多涉閭巷之俗習，不道於他書者尤多，論禹域之民俗者，必不可不於此探源。蓋禹域上世之俗，《禮記》「月令」之篇略盡之，宋以後近世之俗，可徵於《歲時廣記》以下諸方志。獨魏晉南北朝之俗，上承秦漢，下啟宋元者，舍此書而無由於求。是為此書尤可貴之所以也。…中略…然此書之可貴非獨止於此。其可貴之端亦別有二。唐以前之舊籍其全書早亡，或存其佚文於此書是一也；雖全書猶存，依此書所引之文可校正今本是二也。

全書既亡而存佚文於此以《月令章句》為最。蔡氏以漢末之大儒為後人所宗仰也。是以前清之世，漢學大行而諸儒爭作蔡氏《月令》輯本，而所觀不周，僅東鱗西爪成卷。不知引於此書者衰然列章，殆可得其全書。崔寔之「四民月令」亦粗倣於是。其餘之斷圭零璧，亦多堪捃拾者。…中略…依此書所引可校今本之文字者以《禮記月令》為最。茲試言其一端。「孟春之月」云：「魚上負冰」，今本《禮記》皆無「負」字而作「魚上冰」。然引於《毛詩》「匏有苦葉」之「正義」者皆有「負」字，此書獨與其合。又云：「宿離不忒無失經紀以初為常」，今之《禮記》概作「無」字為「毋」，獨足利學校遺跡圖書館藏舊寫本作「无」。案唐孔

穎達之《正義》引「無失經紀者云々」，《寶典》與其合。又「律中大簇」之鄭注云：「於藏值脾」。僅足利本同於此書。今本「值」作「直」，孔氏《正義》之見本為「值」而非「直」。又「季春之月」之「具曲植籧筐」之鄭注云：「皆所以養蠶器也」，於「兵革並起」之注云：「金氣勝也」，獨足利本同於此，餘之本「皆」字作「時」字，「金」字作「陰」，案文義，覺作「皆」作「金」者勝。此類實例舉不勝舉。僅非「月令」之篇，餘之經史亦比比而然，僅在好學之士善用之。

吉川幸次郎的解題簡明扼要的闡述了《玉燭寶典》的學術價值。以上筆者以《五行大義》、原本《玉篇》以及《玉燭寶典》為例，說明了日本舊抄本於中國古典文獻輯佚方面的價值和意義。而《佚存叢書六帙》和《古逸叢書》正是匯集這些珍貴舊抄本的重要文獻資料。當然，用於輯佚的資料遠遠不止於此，廣蒐新資料促進漢學研究不僅我國（日本）學者的責任和義務，更是一種特權。

第四節　校　讎

鑒別文獻真偽，蒐輯佚書之後，用於研究的資料可謂完備，而接下來的問題即為校讎。關於校讎，劉向《別錄》有云：

一人讀書，校其上下，得謬誤為「校」；一人持本，一人讀書，若冤家相對，故曰：「讎」也。（《文選》「魏都賦注」引劉向《別錄》）

這是訂正古書訛謬的兩種方法，現今可理解為校核書籍之意。校讎起源頗為久遠，漢代《熹平石經》的結尾部分刻有校語，說明早在漢代既已相當重視。唐代陸德明曾校對諸多經典異本，撰著《經典釋文》卅卷。而至清代，校讎發展到鼎盛階段。當然，異本的蒐集是促進校讎興盛的重要原因。明末清初，藏書之風大興，至乾嘉之際發展至鼎盛。葉昌熾的《藏書紀事詩》中介紹了關於這些藏書家的事跡，其中尤為有名的要數吳縣的黃丕烈。黃丕烈字蕘圃，明末的收藏家，曾經分別得到汲古閣的北宋本《陶詩》和南宋本《陶詩》，故而以「陶陶居」命名居所。而後因為蒐集宋版古籍多達一百部，故又改稱「百宋一廛」。其友人中不乏錢竹汀、顧千里等著名學者。黃丕烈蒐集珍本後，逐一校讎，並附作跋尾札記，說明各自具備的學術價值。另外，還甄選所藏珍本中尤為貴重之書，匯總編撰成為《士禮居叢書》，對學界裨益頗豐。而自黃丕烈之後，畢沅、盧文弨的門人弟子相繼投身於校勘異本訂正古書訛誤的事業中，也對學界做出很大的貢獻。這是古書蒐集促進校勘學發展的一個實例。清代乾嘉之際，校勘之學最為興盛，但是當時學者用於校讎的文獻資料多為宋代以後的版本，鮮有隋唐古抄本。這大概是因為中國自古革命多發，兵禍不斷，古寫本大都散佚不傳之故。然我國自古既已與中國往來交通，遣唐使、遣隋使曾經攜來許多隋唐古抄本，且大都以古寫本的形式得以保存，其中不乏乾嘉時代學者未曾目睹的珍本。享保年間，荻生徂徠命弟子山井鼎根據下野足利學校所藏古抄本和舊版本古籍，校勘經書。於是山井鼎與好友根本遜志一同滯留足利學校三年有餘，潛心古書的整理和校勘，最終山井鼎著成《七經孟子考文》，而根本遜志則出版了皇侃的《論語義疏》。此後，這兩部書籍在傳入中國後都被《四庫全書》收錄，

《論語義疏》還被鮑廷博收入《知不足齋叢書》。另外，清儒阮元在江西復刻《七經孟子考文》之後，受山井鼎的影響，編撰《宋本十三經註疏校勘記》，其中屢屢引用《七經孟子考文》的內容。可見，我國（日本）的舊抄本為中國校勘學提供了許多珍貴的文獻資料。晚近西歐學者探險中亞，開啟敦煌寶庫，為學界發現了許多隋唐時代的古本。敦煌是中國經中亞通往印度及歐洲大陸的交通要衝，而大唐又是世界文化的匯集中心，故而在敦煌出土大量的唐代文獻絕非偶然。這些出土文獻大都被英國的斯坦因和法國的派力奧帶回國，分別收藏在大英博物館和巴黎國民圖書館。另有一部分則收藏在北京國立圖書館，或流入我國（日本）藏書家之手。筆者（武內義雄）至今尚未完全目睹這些出土文獻，而僅僅是羅振玉先生影印的《敦煌古籍叢殘》和《鳴沙石室佚書》之中收錄的數量就相當驚人。另外好友石浜純太郎、小島祐馬以及神田喜一郎曾經介紹過已故內藤湖南先生和羽田亨博士攜帶回國的文獻寫真。而這些敦煌古本的校勘著作中的代表作則是馬敘倫教授的《老子覈詁》兩冊。在此之前，校勘《老子》的名作有畢沅的《道德經攷異》二卷，但無論是資料的豐富程度，還是結論的妥當性，此書都不能和馬教授的著作相提並論。所以，在校勘異本之際，必須對照中國舊版本、日本古抄本和敦煌古本進行校核，才可能校訂出較為精善的文本。

　　校讎看似機械性的操作，十分簡單，但實際上卻頗為繁雜，需十分注意。以下，筆者（武內義雄）介紹幾點自身多年的經驗。

一、精通目錄學。

　　校讎之前必須廣蒐用於對照比較的文獻資料，而獲得資料最有效的方法就是檢討書籍目錄，所以歷代藏書家的書籍目錄是校勘學的基礎。中國近世的藏書家目錄的代表有，《天祿琳瑯書目》、

《讀書敏求記》、《士禮居藏書題跋記》、《鐵琴銅劍樓書目》、《楹書偶錄》、《皕宋樓藏書志》、《儀顧堂題跋》、《善本書室藏書志》、《藝風藏書記》等。當然，這些目錄收錄的書籍大都為十分珍貴的天下孤本，平常人無法得見。但其中皕宋樓的藏本卻被收入我國（日本）巖崎氏靜嘉堂文庫，另外，我國（日本）秘府及歷代藏書家也收藏了不少珍本，最近上海出版的石印本中我們可以看到這些珍貴文獻的影印版。此外也可以參考近藤正齋的《右文故事》、市野迷庵的《讀書指南》、森立之的《經籍訪古志》、楊守敬的《日本訪書志》和《留真譜》、島田翰的《古文舊書考》、和田維四郎的《訪書餘錄》、或查閱圖書寮、內閣文庫、南葵文庫等歷史悠久的圖書館藏書目錄。總而言之，根據中日兩國的目錄解題書蒐集文獻資料是校讎的第一步。

　　二、確定書籍系統。

　　校讎的第一步是檢討書籍目錄廣蒐文獻資料，資料當然是越多越好。但是異文的正確與否並非取決於數量的多少。因為，同一系統的書籍即使數量再多，也僅代表這一系統，不能說明問題。所以，校勘書籍之際，首先應該將蒐集到的文獻加以整理，確定它們的系統，並選取各個系統中的典型代表用於校勘。如此精選出的三四種異本用於校勘，其效果遠勝於漫無目的蒐集的數十種異本。而確定書籍的系統同樣要依據目錄解題書，如果某一書籍於歷代目錄解題書中並無著錄，那就要根據其刊記的版式判別。

　　三、嚴格選定底本。

　　校讎之際，必須從蒐集的諸多異本中精選出一種文本作為校勘的底本。而選定底本則根據書籍本身的精善程度，並非版本越古老越好。譬如，元版和明版相比，元版雖古，但內容粗陋，不如明版

精善,因為明版書籍中有不少是宋版書籍的復刻本。再如,日本德川初年的活字版書籍,問世年代雖然晚於宋元版,但其中不少是以日本舊抄本為基礎,所以學術價值遠勝於宋元版。總之,選定底本的標準並非年代,而是書籍內容的精善程度。

四、注意古書中的引用。

古典文本中的訛謬不少可以依據其他古書中的引用文加以訂正。譬如,唐太宗命魏徵抄錄古典中與政治有關,可供天子參考的內容,整理成為《群書治要》五十卷,此書中引用的出處皆為唐代初期的精善版本,很多都可以作為訂正現行本古典中錯誤的依據。再如,虞世南的《北堂書鈔》和徐堅的《初學記》等書,其中的引用文都可以作為校訂的依據。另外,宋代編撰的《太平御覽》一千卷,雖然年代晚於唐本文籍,但由於其淵源於北齊的《類書修文御覽》,其中的引用也是校訂今本書籍訛謬的重要依據。除此之外,杜臺卿的《玉燭寶典》（前田家尊經閣藏）、具平親王的《弘決外典鈔》（金澤稱名寺所藏）、梁代庾仲容的《子鈔》（敦煌本中似乎存其斷簡）、唐代馬總的《意林》（道藏本,周廣業校注本）等,都可以作為校訂今本的依據,都是從事校勘學的學者不能忘記的珍貴文獻資料。

五、切忌妄自竄改。

校讎時切不可隨意竄改文本內容。如底本與其他諸本存在不同之處,應該保留底本原文並附作札記分別論證,或者訂正底本錯誤之後,於其下附註原字並說明訂正理由。兩種做法都可以,但絕不允許無故改竄原文。清代經學大家王引之曾經強調校勘應該注意之處:

> 吾用《小學》校經，有所改，有所不改。周以降，書體六七
> 變，寫官主之；寫官誤，則為改。孟蜀以降，槧工主之；槧
> 工誤刊，則為改。唐宋元明之士，或不知聲音文字而改經，
> 以不誤為誤，是妄改也，則為改其所改。……寫官槧工誤
> 矣，吾疑之，且思而得之矣；但群書無佐，俱後來者之藉口
> 也，又不改焉。（《龔定盦王文簡公墓表銘》）

王引之訂正文本的態度非常值得我們學習。

　　要之，表面看來校讎十分簡單，但實際上非常複雜，具體操作時會遇到很多困難。只有不惜時間不惜精力，才可能從事校勘學。當今學者如果不能親自校勘書籍，也可以參考先賢學者的校勘成果。經學研究可參考阮元的《十三經註疏校勘記》，子部研究可參考浙江書局的《二十二子全書》，另外史學和文學研究，可參考張之洞的《書目問答》、邵懿辰的《四庫簡明目錄標註》以及莫友芝的《邵亭知見傳本書目》等，這些都是前輩學者苦心校勘的重要成果，切不可輕視。

第五節　稽　疑

　　校讎是對校異本，探求客觀證據，用以訂正文本訛謬的文獻學操作方法。但是證據未必充分，加之，某些孤本沒有異本，因而無法對照校核。另外，即使存在若干種異本，如果錯誤相同，也無法校正。遇到這樣的情況，我們必須進一步考察文法和前後文脈，找出疑點，確定問題的所在。

　　書籍中的訛誤可謂多種多樣，不可一概而論，而最普遍的則是

誤脫、衍文和形訛。首先所謂誤脫是指抄寫原文時出現遺漏。衍文是指抄寫原文時出現多餘的字句。筆者自身在校勘古寫本時發現，古代學者在校核異本過程中如果發現底本和諸本間的不同，往往於底本原文旁邊標註異文，於複雜難懂文字旁邊注釋字義，而在抄寫書籍的過程中，這些旁註很可能會被誤當做原文抄入，這樣就形成衍文，很多的衍文都是這樣出現的。所以，我們在校核書籍的時候，如果發現同義語句的重複，或者是同義文字的重複，可以根據先後句法考慮是否予以刪除；反之，如果根據前後句法感到缺少文字，則可能是誤脫之處。最後的形訛則是指在抄寫原文時，將原文的文字誤寫為字形相似的文字。字形隨時代的發展而變化，從甲骨文、金文、篆書、隸書以及楷書，字形各有不同。單就楷書而言，字形相近的文字也是數不勝數，另外楷書還有不少文字或與篆書近似，或與古文近似，甚至與草書近似，這些都是造成形訛的原因。王引之的《經義述聞通說》（下）中有題為「形訛」一項，列舉出無數實例，茲列舉其中的兩、三例。

《論語‧鄉黨》中「吉月必朝服而朝」的「吉月」本應是「告月」。

《孟子‧滕文公》中「出而哇之」的「哇」本應是「吐」。《論衡‧刺孟》曾引用此句，作「出而吐之」，《風俗通義‧愆禮》、《白帖》卷九十五、《太平御覽》「羽足部六位立」作「吐」，皆其明證。

《孟子‧離婁》中「舍館定，然後求見長者乎」的「求」字

為「來」字之誤。此處所說「然後來見長者乎」與上文的「子亦來見我乎」相對應,而「來」字的隸書與「求」相似,故而誤寫為「求」。

《儀禮・覲禮》中「四享皆束帛加璧」一句下附有鄭注:「四當為三」,古書「四」寫作「三」,與「三」相似,故誤寫為「三」。這是由於「三」與「三」相似而造成的形訛的實例。另外,譬如古文的「六」和「介」經常別誤寫。

以上是王引之《經義述聞通說》中的幾個實例,在中國古典中諸如此類的形訛很多。研究者應該根據文意和語法判斷甄別,而且必須熟知篆隸體古文字的形、聲、義。

　　文意和語法是判斷誤脫、衍文、形訛的根據,此外,古典文獻中還存在簡冊錯亂和經注混淆的現象。中國的古代文獻典籍大都寫於簡冊之上,簡冊由繩子裝訂成冊,也叫簡書。用來裝訂的繩子一旦斷裂,竹簡的排列順序就會混亂,這是錯簡。另外,由於部分竹簡脫落遺失,也會使文章前後不能銜接,這是脫簡。《漢書・藝文志》中就指出漢初今文《尚書》中存在的脫簡之處:

　　劉向以中古文,校歐陽大小夏侯三家經文。「酒誥」脫簡一,「召誥」脫簡二。率簡二十五字者,脫亦二十五字,簡二十二字者,脫亦二十二字。

由此可知,漢代初年的《尚書》簡冊每一片竹簡上大約能書寫二十二字或二十五字,那麼脫簡之處必然缺少二十二字或二十五字,或

者呈其倍數。譬如，現行本《尚書·湯誓》中有以下四篇竹簡：

㈠ 1 二十二字——王曰格爾眾庶悉聽朕言匪臺小子敢行稱亂
有夏多罪

㈡ 3 二十三字——天命殛之今爾有眾女曰我后不恤我眾捨我
穡事而割正

㈢ 2 二十二字——予維聞女眾言夏氏有罪予畏上帝不敢不正
今夏多罪

㈣ 4 　　　　　　——女其曰夏罪其如臺

上文在《史記·殷本紀》中的順序是 1－2－3－4，段玉裁在《尚
書撰異》中即根據《史記》的引文訂正現行本。現行本的順序大概
就是由於竹簡錯亂造成的。而頗為有趣的是，錯簡上的字數每每遵
循二十二字、二十三字的規律變化，這恰恰與竹簡《尚書》每一片
竹簡上的字數吻合。

　　王充的《論衡》和《孝經鉤命訣》有載，古時《六經》的竹簡
大小為二尺四寸，《孝經》一尺二寸，《論語》八寸。如果二尺四
寸的竹簡最多可以書寫二十二或二十五字，那麼《孝經》竹簡最多
可書寫十二、三字，《論語》最多也就八到九個字。而現行本《孝
經·聖知章》中有以下兩端文字文脈語義頗為不通：

1 —四十三字—故親生之膝下，以養父母日嚴。聖人因嚴而
教敬，因親而教愛。聖人之教不肅而成，其政不嚴而治，其
所本也。

2 —二十八字—父子之道天性也，君臣之義也。父母生之，

　　續莫大焉。君親臨之，厚莫重焉。

元代的吳澄則將 1 視為錯簡，主張應該置於 2 之後。這段文字在
《漢書·藝文志》中的表述為：

　　父母生之，續莫大焉，故親生之膝下。

這說明吳澄的主張不無根據，1 中的四十三字大概是四篇竹簡的混
亂造成的。
　　還有，《論語·堯曰》「子張問政」一章之前有以下十六字
文：

　　寬則得眾，信則民任焉。敏則有功，公則說。

此句與前後文沒有任何關係，頗為唐突。而《論語·陽貨》「子張
問仁」一章中有：

　　子張問仁於孔子。孔子曰：「能行五者於天下為仁矣。」請
　　問之，曰：「恭寬信敏惠，恭則不侮，寬則得眾，信則人任
　　焉，敏則有功，惠則足以使人。」

末尾四句和之前十六字文意大體相同。故而清儒翟灝的《四書攷
異》以及我國學者豐島豐州的《論語新注》中都主張此十六字文實
為「子張問仁」章的斷簡。雖然最後的「公則說」三字與「惠則足
以使人」不一致，但「公」原是老莊學用語，且盡於此處出現，大

概原本是「惠」字，由於部分損毀僅存中央部分故而誤寫為「公」字；而「說」字原本應該是「足」，而「足」又與「兌」相似，所以被誤寫為「說」。所以，翟灝和豐島豐州的主張是有一定道理的。再者，據說《古論》中，「堯曰篇」的「子張問政」章以下部分獨成一篇，大概在《古論》中，「陽貨篇」的「子張問仁」章和「堯曰篇」的「子張問政」章合二為一，獨成一篇，而在《魯論》中，「子張問仁」章又被移至「陽貨篇」中，只有十六字的斷簡殘留在「堯曰篇」中。同時，此十六字恰好相當於兩片八寸《論語》竹簡上的字數。

要之，簡書存在錯亂是在所難免的，我們可以根據文脈和字數分析錯簡和脫簡。

東漢蔡倫發明造紙術以來，卷子本漸次取代簡書。所謂卷子本是指由紙張粘合連接而成的書卷。直到裝訂成冊的書籍出現，中國書籍皆為卷子本。自古以來，很多卷子本都流傳到了日本，晚近敦煌寶庫的大門被打開之後，又有大量卷子本流入歐洲。筆者（武內義雄）在大英博物館查閱斯坦因搜集的敦煌古寫本時，偶然發現了《老子河上公注》殘卷。此書用相同大小的文字單行書寫經文和注文，空一字以示區分。在兩三句經文之後空一格書寫注文，注文之後再空一格繼續書寫經文，這與後世書籍的形式大不相同。後世書籍大都用單行大字書寫經文，雙行小字書寫行間小注（割注）。我國（日本）早稻田大學所藏的《六朝鈔寫禮記卷子本疏義》殘卷也是這種古老的經注本，經注疏三者僅用空格區分。如果抄寫這種古本時不慎漏看空格，極容易混淆經文和注文，給後世學者的解讀帶來不便。譬如，在戴震從新整理酈道元《水經注》之前，其中經文和注文混亂不堪，極為難解。再如，現行本《莊子・齊物論》也不

易理解，同樣是由於部分注文混入原文中的緣故。可以說，卷子本古籍或多或少都存在經注混淆的現象。

第六節　訓　詁

文獻研究的第一階段是校讐，接下來則必須「正訓詁」。所謂「正訓詁」即理解文字的學問。

所有漢字都擁有形、音、義三方面內容。形指文字的形狀樣式，音指發音，義則指文字表達的意義。換言之，意義是文字表達的概念，音是語言，而形則是語言符號。一般認為，概念最先出現，繼而出現用以表達概念的語言，最後寫成符號。但文字研究的順序卻相反，應該首先研究字形，繼而字音，最後才是字義。

一、字形。字形隨時代推移而變化。迄今已知最早的漢字是雕刻在龜甲獸骨之上的殷代甲骨文，距今已有三千多年的歷史。繼甲骨文之後出現的是鏤刻在銅器之上的周代金文。金文之後的是秦漢時代刻錄在石碑之上的石文，分為篆書和隸書。（秦漢時代的石碑皆為篆隸，楷體石碑則出於後世。）東漢以後，紙張的使用漸次普及，而書寫於紙張之上的文字多為楷書、行書和草書。簡而言之，中國漢字發展變遷的過程是：「甲骨文～金文～篆隸～楷行草」。

東漢學者許慎撰著《說文解字》十五卷，以篆書為基礎研究文字構造，闡明文字意義。許慎認為，象形、指事、會意、諧聲是創造漢字的四種基本原則。所謂象形是指，以描繪物體形象的圖畫作為語言符號，「日」字和「月」字是最典型的代表。指事是指表示抽象概念的語言符號，比如「上」字和「下」字。象形和指事都是一種圖樣，所以稱兩者為「文」。然而，人類社會的諸多現象極為

複雜，要表達它們，僅靠「文」是不夠的，所以又出現了會意和諧聲。所謂會意指通過兩個「文」來表達意義的語言符號，比如「武」字和「信」字。「武」通過「戈」和「止」的組合，表達制止戰爭的意思；「信」則是由「人」和「言」組合而成，表示人所言不假。而所謂諧聲則是各取一個語言符號的意義和發音組合而成的語言符號，比如「江」字和「河」字。「江」取「工」的讀音和「水」的意義；「河」則取「可」的讀音和「水流」的意義。可見，會意和諧聲皆基於象形和指事的「文」孳生而來，故而稱為「字」，表示孳生之意。《說文解字》的趣旨正如書名所示，說明象形指事之「文」，解釋會意諧聲之「字」。

許慎的《說文解字》從九千三百五十二個漢字中選取五百四十個比較簡單的作為部首，在各部首之下羅列會意字和諧聲字，系統性的解釋說明漢字。《說文解字》可以說是後世字形研究者的入門書。同時，關於此書的研究著作亦為不少，其中最具代表性的是清儒段玉裁的《說文解字注》十五卷，是初學者最佳的參考。

由於許慎是以篆書為基礎展開研究，所以在涉及甲骨文、金文時，《說文解字》會暴露出不足之處。但是，這並不能掩蓋此書的學術價值。我們在從事字形研究之際，必須自《說文解字》入門，而要研究《說文解字》又必須參考段玉裁的《說文解字注》。通過段玉裁的研究，我們可以充分透徹的把握許慎的學問，在此基礎之上，再根據甲骨文、金文考慮如何修訂《說文解字》的闕失。而吳大澄的《說文古籀補》和《字說》、羅振玉的《殷墟書契考釋》則是金文、甲骨文研究的入門書。此外最近出版的貝冢茂樹的《中國古代史學の發展》可以說是指導金石學研究的名著。此書原本以金石學為基礎論述中國古代歷史，但著者研究金石學資料的方法十分

嚴密，所以也堪當文字學研究的參考。總之，與《說文解字》相關的著作非常多，不可能一一列舉，逐一拜讀。丁福保的《說文解字詁林》中匯集了不少這方面的資料，但由於內容過於駁雜，所以不好把握。字形研究者往往容易流於浮誇博識、競立新說之弊害。所以，筆者（武內義雄）還是主張以段玉裁的《說文解字注》作為研究《說文解字》的基礎。

　　二、字音。字音和字形一樣，也隨時代的推移而變化。古代中國沒有記錄文字發音的符號，所以一旦新的讀音出現，古音便會隨即消失。我們研究古音只能參考歷代的韻書。

　　曹魏李登的《聲類》十卷和西晉呂靜的《韻集》六卷，可以說是中國韻書的先驅性著作。雖然兩書皆已散佚不傳，但據說都是將文字分為「宮、商、角、徵、羽」的五聲，在各聲之下按韻羅列漢字。此後梁代周顒的《四聲切韻》、沈約的《四聲譜》則不使用五聲區分字音，而改用「平、上、去、入」的四音區別漢字的韻。之後陸續出現夏侯該的《韻略》、陽休之的《韻略》、李季節的《音譜》、杜臺卿的《韻略》等。隋代的陸法言則基於周顒、沈約的「四聲說」並綜合折衷前輩學者的韻書，撰著《切韻》五卷。陸法言是陸爽之子，名詞（又作「慈」），隋開皇初年與劉臻、顏之推、魏淵、盧思道、李若、蕭該、辛德源、薛道衡等八人一併致力於音韻學的研究，他折衷呂靜、夏侯該、陽休之、李季節以及杜臺卿的韻書，終於在仁壽元年完成《切韻》。《切韻》可以說是中國音韻學研究史上劃時代的巨著。此後的長孫訥言曾經對陸法言的《切韻》施以箋注進行增補，孫愐則修訂《切韻》著成《唐韻》，至宋代大中祥符年間，陳彭年等人又奉敕命重修《廣韻》五卷。但此後陸法言的《切韻》和孫愐的《唐韻》都散佚不傳，只有《大宋重修

廣韻》流傳至今。無論是《廣韻》還是《唐韻》都是在陸法言的《切韻》的基礎上修訂增補而成的古代韻書，不同於當時漢字的發音，所以《廣韻》基本上可以視作《切韻》。後世學者也是自《廣韻》入手展開對古韻的研究。近世的古韻學倡導者顧炎武曾經撰著《詩本音》考究《詩》的押韻，又有《易音》論究《易》的押韻，再整合歸納二者觀點，從而提出「古音十部說」（著作《古音十部表》）的主張。另外，顧炎武在《唐韻正》中以「古音十部說」為依據訂正《廣韻》的發音，此外還著有《音論》論述古代音韻的梗概。以上的《詩本音》、《易音》、《古音十部表》、《唐韻正》以及《音論》總稱為《音學五書》，被譽為清代古音韻學研究之魁。在顧炎武之後，江永撰著《古韻標準》提出「十三部分說」的新主張，其門人戴震又著有《詩聲類》和《音韻表》，提出「十六部分說」的觀點，戴震的同門段玉裁則撰著《六書音韻表》主張「十七部分說」。此外還出現了王念孫、江有誥等學者提倡的「二十一部分說」。這些著作都是根據《易》、《詩》、《離騷》的押韻修訂增補《廣韻》，其中段玉裁的《六書音韻表》還提出根據《說文解字》的「諧聲」究明部分古音的新方法。在段玉裁的影響下，又出現江沅的《說文解字音均表》、張成孫的《說文諧聲譜》，二者根據《說文解字》「諧聲」部分提出「二十一部分說」。如此，基於《廣韻》的「部分說」和根據《說文解字》「諧聲」的分類方法最終都歸於「二十一部分說」。以上是清朝學者關於古音韻學的研究業績。在此特別值得一提的是，日本的假名文字可以反映出漢字發音的歷史變遷。欽明天皇時代佛教傳入日本，應神天皇時代漢字傳入日本，這些來自於中國的文物都是通過三韓（朝鮮半島）流入的。當時傳入日本的中國漢字的讀音被稱為吳音，

基本上和陸法言《切韻》處於同一時代。而後日本和唐朝開始直接的交流活動，遣唐使和學問僧又帶回唐代漢字的發音，即現在所謂的漢音。另外，《古事記》、《日本書紀》以及《萬葉集》等我國（日本）的古代文獻中還存在比吳音漢音更為古老的漢字讀音。已故大矢透博士的研究表明，這些讀音是周代古音，大都和《詩經》、《楚辭》的押韻一致。誠然，假名的讀法存在不少訛誤，即使如此，這些記錄古代發音的假名也是我們研究漢字古音的重要參考資料。而對於中國學研究者而言，閱讀古代典籍必須了解漢字的古音。唐玄宗在讀《尚書・洪範》時感覺「無偏無頗，遵王之誼」一句中的「頗」、「誼」二字並不押韻，故下詔改「頗」為「陂」。其實唐太宗並不知道「誼」的古音是「賀 ga」（日文中「賀」字讀為「ga」），原本與「頗 ha」（日文中「頗」字讀為「ha」）押韻。顧炎武在《唐韻正》中「誼」字的讀音也是「賀」。另外我國（日本）元興寺的《丈六後背銘》中將「蘇我」寫作「巷宜」，這也說明「宜」或者是從宜聲的「誼」的古音為「ga」。總之，不懂音韻學，不明漢字音韻的歷史變遷就難以正確解釋古代的文獻典籍，這正是古音研究的必要性。

三、字義。漢字的意義包括三種：本義、轉注義以及假借義。本義指文字原本的含義，而轉注義則是指由本義轉化出的含義。譬如，金文的「道」字是「行」字的中間加入「首」字和「止」字，「行」字的甲骨文則是描繪十字路口的象形符號「𠘧」，表示道路。中間的「首」是表音符號，「止」的金文寫為「止」，表示足跡腳印。所以「道」字取「首」的發音，描繪用雙腳走的「衟」，本義指道路。道路又是世人應該通行之處，故而由此又衍生出另一層含義——道德法則。《論語》中「吾道一以貫之」所

說的「道」，以及《中庸》中「須臾不可離」的「道」，皆表此意。這是「道」的第一轉義。道德法則的制定並非依照人的意志，其中隱藏著自然的法理，所以由此又衍生出「道」字的第二層含義──宇宙原理。《老子》中所謂「有物混成先天地生」的「道」，以及《易》中「一陰一陽謂之道」的「道」，皆指宇宙原理之意。這是「道」字的第二轉義。綜上所述，轉注義就是由本義衍生變化出的意義。由於文字的本義和轉注義經常混用，所以我們研究字義時必須兩者兼顧，不能過於拘泥於一方。

　　文字的假借義和轉注義不同，與文字的本義沒有任何關係，僅僅是借用讀音相同或相近的漢字而產生的與本義無關的意義。譬如「導」字，《說文解字》中的解釋為「從寸道聲，引也。」即本義為教導。而由本義轉化出的轉注義也經常出現，譬如《論語》中「導之以政」的「導」就是本義，而「導千乘之國」的「導」則是用於轉注義。但是，以上兩句在現行本《論語》中皆作「道」，即「道之以政」、「道千乘之國」，這就是借用「道」字代替「導」的本義以及轉注義，是「道」的假借義。諸如此類的假借字在古代文獻中非常多，所以古來注釋中多有「…讀為…」的文字，用以解釋假借字的本字。如果我們從假借字的字音可以推測出本字，文章的意義就會變得十分明瞭；反之，如果專注於假借字本身的解釋，往往會曲解文意。所以，在閱讀中國古典的時候，必須研究假借字的本字，方法是聯想與假借字讀音相同或相近的漢字，而音韻學研究的重要性主要體現在這個方面。研究文字假借義最富成就的學者是高郵王氏父子──王念孫和王引之。王念孫著有《讀書雜志》，王引之則著有《經義述聞》，歸納許多假借字使用的實例，致力於假借字本字的研究。《孝經》「卿大夫」章中有「口無擇言，身無

擇行」一句，古來的注釋大都將「擇」解釋為選擇，使文章難以理解。而王引之則認為此處的「擇言」和《尚書・呂刑》中「罔有擇言在身」的「擇言」同義，「擇」是「斁」或「殬」的假借字，表示敗或敗壞之意。《尚書・洪範》中「彝倫攸斁」的「斁」字被注釋為「敗也」，《說文解字》中在「殬」字之下引用《尚書・洪範》的「彝倫攸殬」，並注：「殬，敗也」。由此可知，「擇」、「殬」、「斁」三字皆從「睪」聲，古來同音，故而會出現互相借用的現象（《經義述聞》卷四）。王引之的論定明快，令人欽佩。在《經義述聞》和《讀書雜志》中，諸如此類的實例可謂不勝枚舉。而必須強調的是，高郵二王關於假借字的豐厚研究業績卻是在古韻學研究基礎之上取得的，「古韻二十一部分說」是王氏父子古韻研究的代表學說。

　　要而言之，中國漢字包含形音義三方面內容，每一方面都非常重要，但是文字學研究的最終目的則是在於究明字義。字義又分為本義、轉注義和假借義。明確文字的本義不但要依據《說文解字》，還必須涉及甲骨文、金文的研究。探究文字的轉注義和假借義則應該以《爾雅》和《廣雅》為基礎。《爾雅》中搜集了不同時代的同義語和各個地方方言，並用雅言（標準語）加以解釋說明，《廣雅》則可視為《爾雅》的增補。但是，《爾雅》和《廣雅》僅僅搜集解釋時代語和方言，並未明確指出確切時代和地區，故而漢代楊雄撰寫《方言》十三卷，補充說明方言出自的不同地區，晉代郭璞又進一步考究文字的出典，確定文字的時代。而邵晉涵的《爾雅正義》、郭懿行的《爾雅義疏》以及王念孫的《廣雅疏證》等清儒的著作，同樣是考證《爾雅》、《廣雅》中收錄文字的出典和年代。參考這些前輩學者的論著，我們基本上可以了解文字的本義如

何隨時代發生轉化，地域方言有何特徵，以及文字之間如何相互借用。當然，這些著作的內容並非簡單易懂，必須經過長期不懈的努力，才能領悟文字學的精粹。所以，筆者（武內義雄）再推薦一部更加簡單方便的文字學參考書——朱駿聲的《說文通訓定聲》。朱駿聲，字豐芑，號允倩，江蘇吳縣人，咸豐八年歿，享年七十一，畢生致力於文字學研究，所著《說文通訓定聲》三十二卷，按照古韻部分羅列文字，每字之下首先根據《說文解字》註明本義並附加用例，之後標註「轉注」二字，用實例說明各種轉注義，之後再標註「假借」二字，實證說明各種假借用法，最後則列舉古代文獻中與它押韻的文字。簡而言之，此書清晰系統的記錄文字的本義、轉注義和假借義，可以說是訓詁學研究最便利的參考書。

第七節　整　理

古典研究的第一步是鑒別資料真偽，去偽存真；第二步則是校讎稽疑，確定正確文本；第三步則是文字訓詁，準確理解字句的內容。以上三步都是正確合理解釋古典的準備工作，在此基礎之上，我們還必須確定古典文獻的歷史地位。具體而言就是，探究某一文獻受之前文獻何種影響，對之後文獻有何影響，以及與同時代文獻有何關係，即對諸多文獻進行綜合整理。要綜合整理文獻，就必須確定所有文獻成立年代的先後順序，這勢必要求研究者對文獻編纂的歷史背景有所了解。

中國數量繁多的史籍大體可分為紀傳體和編年體兩種。《史記》、《漢書》以下的「二十五史（二十四史加《新元史》）」是紀傳體史書；《春秋左氏傳》、《資治通鑑》以及《宋元通鑑》等是為

編年體史書的代表。兩種體裁雖然各有長短，但就研究文獻成立年代而言，參考紀傳體的史書更為便利，因為我們只需閱讀一部分內容即可找到需要的信息。譬如，依據「儒林傳」我們可以了解經學思想方面的問題；「文苑傳」的記載有助於我們看清文學的發展。而我們在整理古典文獻之際，必須通曉相關歷史背景。然而，史書的記載一般都是傳統的通說，難免有誤，所以要持批判的態度審慎對待，必要時應該訂正傳統通說的錯誤。

譬如，《史記‧老子傳》記載老子較孔子年長，道家思想也創立於儒家之前，曾經任職周收藏室之史，後辭官歸隱，途中為關尹喜撰寫《道德經五千言》。然而仔細閱讀今本《道德經》則不難發覺，其間多有批判儒家思想的言辭，似乎有意超越，所以感覺老子應該是孔子以後出現的人物。筆者（武內義雄）的觀點雖然與舊來的傳統通說截然相反，但只有這樣才能合理解釋《道德經》的內容與思想，同時儒道兩家的歷史關係也更加明瞭。但另一方面，這種研究方法的主觀性很強，或者說具有一定的獨斷性，非常容易使研究走入歧途。為了清除這種弊病，我們必須尋找一種嚴正的尺度和標準，而富永仲基的「加上法」恰好具有這種功能。

大正十一年，筆者（武內義雄）在大阪懷德堂拜聽已故內藤湖南先生題為「大阪の町人學者富永仲基について」的演講時，第一次對富永仲基有所了解。當時一同拜聽先生講義的還有吉田銳雄、石浜純太郎等好友，我們三人都深深折服於富永仲基的學問。之後吉田君撰著《池田人物志》二卷，其中詳細介紹富永仲基的生涯傳記；石浜君則在深入研究富永仲基的學問方法後，撰寫名著《富永仲基》，由創元社出版發行。而筆者（武內義雄）僅僅粗略閱讀富永仲基的《出定後語》和《翁の文》，沒有任何創見。當時筆者（武

內義雄）最為推崇清儒考證之學，奉考證學者的學問方法為金科玉條。但隨著時間的推移，研究的深入，漸漸意識到考證學的極限所在，同時也感覺自身的研究或已陷入瓶頸。恰恰是在這個時候，從內藤湖南先生的演講中得到啟發，在考證學方法中援用富永仲基的學問方法論，終於使自己能夠走出研究的瓶頸，從新樹立研究的信心。聽過演講之後，筆者（武內義雄）即刻到大阪府立圖書館借閱《出定後語》，精讀若干遍後，得到了更多的啟發。其實筆者（武內義雄）學習富永仲基的學問方法是為了探究中國思想的發展變遷過程，如果說在這方面有些許創見，則一定拜富永仲基學問方法所賜。以下，以內藤湖南先生的演講（內藤湖南先生從新修訂懷德堂演講的內容之後，又於大正十四年四月五日，在大阪每日新聞社和大阪紀念演講會上再度發表同一題目的演說，演講筆錄後被收錄入《先哲の學問》之中。）和兩位好友的卓著為基礎，簡述富永仲基的學問。

　　富永仲基，原名德基，字仲子，之後分別從名和字中各取一字，稱仲基，號南關、藍關、謙齋，人稱三郎兵衛。其父富永芳春是懷德堂五同志之一，以釀造醬油為業，最初娶金崎氏為妻，生二男，後又迎娶安村氏，得三男三女。以下是為富永家系譜：

金崎氏		富永芳春	安村氏					
1 毅齋	2 長次郎（夭）		**3 謙齋**	4 蘭皋（過繼池田荒木家）	5 東華	長女（夭）	次女（夭）	三女（嫁入南都福智院）

　　仲基就是謙齋，富永芳村的第三子，生於正德五年，歿於延享三年八月二十八日，終年三十三歲。其父富永芳村曾經師事於懷德

堂的三宅石庵、五井蘭洲，據說富永仲基也曾經同樣在三宅石庵門下求學，直至享保十五年十六歲時三宅石庵病逝。此時恰好田中桐江也住在攝津池田，而仲基之弟富永蘭臯正在他的門下學習，所以可以推測，富永仲基本人很有可能也轉入田中桐江門下與弟弟一起學習。田中桐江曾經仕於甲府的柳澤候，後因故隱居仙台，最後歸隱於池田，創立詩會吳江社，專門結交風雅之士。詩社刊行詩集《吳江水韻》前三集（享保十九年第一集，享保二十年第二集，元文元年第三集）中皆載有富永仲基的漢詩，這也可以證明在三宅石庵歿後富永仲基轉投田中桐江門下。富永仲基的漢詩中寫道：

> 晚年嬰痼疾，向日出塵埃。

又有：

> 龍蛇歲暮病何同，伏枕鴻都懷未開。

可見富永仲基當時既已在病中。

　　僧侶慧海潮音的《摑裂邪網篇》記載富永仲基曾經受僱校訂《黃檗版藏經》閱讀佛學典籍。吉田銳雄在《池田人物誌》中也曾引用富永仲基的漢詩《相逢行》：

> 二郎遊官去，三郎在他家。
> 太郎好任俠，四郎好麗華。
> 難得者黃金，易得者非毀。
> 尤喜雙親全，何為行未已。

> 大家何所有，盆水儲金魚。
> 魚躍水亦潑，譬之吾離居。

其中「二郎遊官去」即指富永仲基因受僱校核黃檗而暫時離家，詩中還說由於「太郎」富永毅齋溺於任俠，「四郎」富永東華生活奢靡，富永家的生活似乎並不算和諧美滿，或許真的如此吧。但無論如何，富永仲基廣泛涉獵佛學經典是毋庸置疑的，這方面在《出定後語》中體現得淋漓盡致。總之，富永仲基最初師從三宅石庵學習儒學，而後轉投田中桐江門下學習漢詩，最後則校訂《黃檗藏經》通曉佛學，一生著有《說蔽》、《翁の文》以及《出定後語》三部著作，對儒學、神道、佛教的經典進行文獻批判。三部著作中的《說蔽》既已亡佚，《翁の文》雖然失傳許久，但晚近的龜田吟風卻偶得一部孤本，並由恩師內藤湖南先生影印後，出版刊行。而《出定後語》的傳世要歸功於日本國學大師本居宣長，本居宣長在《玉勝間》中對《出定後語》的評價極高。這引起了平田篤胤的關注，開始千方百計的蒐集《出定後語》，終於在大阪某家書店的倉庫中找到此書的版木，於是購買了幾部印刷版。現今此書經常出現在舊書店。《出定後語》二卷完整的體現了富永仲基的學問方法論，可以說是富永仲基學問的核心。

上文既已言及，《出定後語》以批判佛教為中心。佛教典籍不僅數量繁多，而且包含的思想內容也頗為駁雜。故而古來學者大都認為，釋迦牟尼根據聽眾的根機、資質以及悟性，採取不同的方式闡釋佛法真諦，所以各種佛學經典所表達思想存在不同之處。而在富永仲基看來，這些不同，恰恰說明了佛家的發展進程。印度雖然哲學思想發達，但印度人卻缺乏對歷史的關心，甚至連準確的紀年

都不存在。這就造成了佛教文獻資料的歷史背景不夠明朗，難以究明佛教發展的歷史軌跡，這是佛教研究中的難題。而富永仲基則以「言有三物」為標準，將駁雜的佛教文獻分為若干部類。所謂「言有三物」是指「言有人」、「言有世」、「言有類」。「言有人」指所有經典中都含有代表學派特徵的語言表達方式。譬如《華嚴》中的「法界」、《涅槃》中的「佛性」、《般若》中的「一切種智」、《金光明》中的「法性」、《法華》中的「諸法實相」等，皆為專屬特定學派的詞彙；反之，《般若》中從不言「佛性」，《阿含》中也不會言及「陀羅尼」。這些特殊的語言表達方式皆屬於某一特定的學派，代表學派各自的主張和思想。其次的「言有世」指語言隨時代推移而變化，語言具有強烈的時代性，可以反映時代特徵。譬如，羅什所說的「恆河」，玄奘則將其譯為「殑伽」；羅什口中的「須彌」，玄奘則譯為「蘇迷盧」；羅什所說的「觀世音」，玄奘則譯為「觀自在」，我們可以根據特殊的語言判斷經典的時代。最後的「言有類」則指即使是同樣的語言，使用方法未必相同，所以不可一概而論。在《出定後語》「言有三物第十一」中，富永仲基將語言的使用方法歸為「五類」：「偏、張、泛、磯、反」，可是同書「雜第二十五」中卻論述「張」和「轉」的內容，並未言及「磯」。筆者認為，「磯」大概是「機」字的誤抄，和「轉」同義。這是因為《尚書・堯典》中也有「璇璣」二字，馬融注曰：「璣，渾天儀可旋轉，故曰璣。」另有鄭玄注曰：「運動為機」，可見「機」表示「轉」的意思。所以，「言有三物」中的「磯」原本很有可能是「機」字，相當於「雜第二十五」中所說的「轉」。如果這樣，富永仲基所謂的「五類」則應該是「偏、張、泛、轉、反」。

　　（一）「偏」相對於「泛」而言，「泛」表普遍抽象之意，而「偏」則指局部具體之意。另外，富永仲基還主張，「偏」即為「實」，應為「實」所以範圍不廣。換而言之，「偏」是指表達具體意義的語言，也指語言原本的意義。

　　（二）「張」是張大、擴大之意，表示語言原本的意義被誇張擴大使用。譬如《增一阿含起世經》中將「段食」、「更樂食」、「念食」、「識食」稱為「四食」，而其中表達「食」字的本義只有「段食」，其他的「更樂食」說的是衣裳、繖蓋、香華等；「念食」代表所念所想；「識食」代表認識，都是由本義衍生擴大而來的意義，所以稱為「張說」。再如，維摩詰說須彌山可以放入芥子裡面，而芥子上會出現寶剎，這是一種極其誇張的說法，也屬於「張說」的一種。從古至今，書籍中多有「張說」，研究者必須反復玩味，才能理解它的意思。

　　（三）「泛」是指具有普遍性的表達方式。譬如「如來」表「如而來」之意，原本特指「心體」，《楞伽經》中說：「如來藏是善不善因」，《般若經》中又說：「一切眾生皆如來藏」，都是一種不夾雜善惡褒貶的意思，具有強烈的普遍性。但卻經常被轉用為褒義，表示成就德行。

　　（四）「轉」是指由具有普遍性的本義衍生發展而來的，更加深遠的意義。譬如《勝鬘經》中所說的「如來法身，不雜煩惱藏，是如來藏」以及《如來藏經》中所說的「一切眾生瞋癡諸煩惱中，有如來神」，原本表示普遍性意義的「如來」一詞被轉用為成就德行的名詞。又如昔日的竺道生看到法顯翻譯的《泥洹經》中「除一闡提皆有佛性」一句，於是主張雖然是一闡提，既然是人，就應該具有佛性。這種解釋令當時世人驚愕。之後大品佛經傳來，發現其中

《聖行品》中有「一闡提人，雖復斷善，猶有佛性」一句，從此世人皆敬佩竺道生的學識。「一闡提（Icchantika）」原義指無佛性，衍生發展出的轉義則是指有佛性。

（五）「反」是指，例如梵語「鉢剌婆剌拏（pravarana）」舊譯為自恣，新譯則為隨意。自恣一般用於貶義，而在新譯中卻轉變成為隨意，表示褒義。

要之，「偏、張、泛、轉、反」表示同一詞彙的各種轉變。原義「偏」經過誇張演繹而衍生轉變為具有普遍意義的泛義，而泛義又轉變成為表達其某一個方面的意義，在轉化過程中，甚至會轉變成為與原義完全相反的意義。這就是語義變化的規律，這種規律不僅限於語言，也適用於思想的發展變化。故而我們有時會發現，雖然表達方式完全相同（即指陳述相同的語句），但說話人不同，表達的意義會有所不同；或者是，雖然表達方式不同，但表達的意義卻完全相同。所以，明確語言中包含的三物五類，對文獻進行批判和分類，是中國學研究的出發點。對此，富永仲基還作如下論述：

> 凡言有類、有世、有人，謂之言有三物。一切語言，解以三物者，吾教學之立也，苟以此求之。天下道法，一切語言，未嘗不錯然而分也。古云三物五類立言之紀，是也。

富永仲基用以上方法研究佛教經典，首先將種類繁多的佛經分為七部類：阿含、般若、法華、華嚴、大集涅槃、頓部楞伽和秘密曼陀羅。之後又創立「加上法」，用以確定七部類經典成立的時代順序。

所謂「加上法」是指一切思想學說都是在之前的思想學說的基

礎之上「加上」發展而成。《翁の文》第九節有云：「凡創自古之道時法者，其必有所託祖，先於我立者之上出，為其定也。」換言之，思想學說一直在發展進步，沒有發展就沒有新的主張，而新主張必然繼承舊主張的特異之處，反駁舊主張的拙劣之處。富永仲基將前者稱為「棟異」；後者稱為「貶異」。通過「棟異貶異」主張自家的學說，故而形成「加上」的現象。而在「加上」的基礎之上再「加上」，即反復重疊的「加上」使思想學說不停的發展進步，形成思想發展的歷史軌跡。可見，「加上」的思想學說的成立必然晚於被「加上」的思想學說。換言之，由單純樸素到複雜高遠，是思想發展變化的原則，樸素的學術思想是最初存在的，高遠的學術思想則是晚出的。這是富永仲基學問方法的標準和尺度。依據這種標準尺度，確定了以上七部類佛經成立的先後順序：

（一）考慮現今教派興起的先後順序，應該從外道開始。外道凡分為九十六種，皆生於天，以天為宗尚。而釋迦佛則欲超越它，故而以七佛為宗，認為可以遠離超越生死。釋迦佛滅後，三藏即阿含部經典問世，皆以有為宗，不言方等微妙的法門。

（二）般若興起，主張諸法皆空，在小乘有宗的基礎上「加上」而成。

（三）法華主張諸法實相，創立於空有兩宗的基礎之上。《法華經》中所說的「四十年未顯真實」，批駁舊來經典是愚法，主張法華的法門才是最高，在空有二宗的基礎上「加上」了諸法實相的觀點。

（四）華嚴明顯成立於般若和法華之後，因為《華嚴經》中存在「般若波羅密」、「諸法實相」等名詞。而華嚴在成道之後又主張「圓滿修多羅」，明顯是在排擠大乘，在大乘的基礎上「加上」而

成。

（五）《大集經》和《涅槃經》的思想和用語都頗為相似，大概屬於同一學派，部分思想折中大小二乘，所以該學派應該成立於大小二乘興盛之後。

（六）以上的諸教派依次興盛，主張各異，繁瑣不堪。繼而出現的則是頓部教，頓部教核心經典是《楞伽經》。《楞伽經》語言直白，主張真心悟入，漸達佛心，明顯是在反駁舊來諸教派的主張，在之前學說的基礎之上「加上」而成。

（七）秘密曼陀羅教以「一切智智」的觀點攝取諸家之長，主張的重點在於毘盧遮那阿字門。此教派的經典中有云：「契經如乳，調伏如酪，對法如生酥，般若如熟酥，總持門如醍醐。」，這暗示著秘密曼陀羅教是最後興起的派別。另外，據說此派經典一直長期秘藏於鐵塔之中，問世時猶如猛龍出世，同樣說明秘密曼陀羅教的興起最晚。

確定以上七部類佛教經典成立年代的順序之後，富永仲基總結道：

> 諸教興起之分，皆本出於其相加上。不其相加上，則道法何張。乃古今道法之自然也。（《出定後語》「教起前後第一」）

可見，「加上法」是富永仲基進行文獻批判的法則。

《出定後語》是佛教經典的文獻批判，《說蔽》是儒學經典的文獻批判，而《翁の文》則是神道經典的文獻批判，批判的標準和尺度都是「加上法」。《說蔽》既已亡佚，無從說明。《翁の文》中的一節可以說明富永仲基文獻批判的方法：

　　孔子祖述堯舜，憲章文武，說出王道，是其時分，言齊桓、
　　晉文，專崇五伯之道，出其上者也；又墨子同崇堯舜，主張
　　夏道，是又孔子憲章文武，出其上者也。扠又楊朱言帝道，
　　崇黃帝，又出孔墨說王道之上者也；許行說神農，莊列之輩
　　說無懷、葛天、鴻荒之世，皆又出其上之上者也。孔子之
　　道，同於是等異端之言，儒分為八，皆託於孔子，欲出其上
　　者也：告子說性無善無惡，出世子說性有善有惡其上者也；
　　又孟子說性善，出告子說性無善無惡其上者也；又荀子說性
　　惡，又出孟子說性善其上者也；樂正子作《孝經》，託於曾
　　子問答言「孝」，又棄諸諸之道，歸於「孝」者也。宋儒不
　　知是，皆心得之為「一」。猶近來之仁齋，言唯孟子得孔子
　　血脈，餘他之說皆邪說也；徂徠言孔子之道即於先王之道，
　　子思、孟子之流應歸於此。皆大錯之言。如不知此始末，應
　　見《說蔽》一文。（《翁之文》第十一節）

可見，富永仲基同樣將「加上法」用於中國思想發展的研究，作為
文獻批判的原則。「加上法」雖然簡單，但效果極佳，且置之四海
而皆準。

　　以上關於富永仲基學問的論述，大體依據恩師內藤湖南先生的
「大阪の町人學者富永仲基」（《先哲の學問》）和好友吉田銳雄君
的《池田人物誌》以及石浜純太郎君的《富永仲基》（《創元選書第
六十二》），當然其中也附帶些許筆者（武內義雄）的愚見，但無論如
何也不能說是自己的研究成果。雖然如此，筆者（武內義雄）對「加
上法」的尊崇是毋庸置疑的。清儒考證極為緻密確實，但用於考證
的文獻未必充足，如果資料不足則無從考證。這種情況下，富永仲

基的「加上法」就可能發揮作用，打開研究的瓶頸。可見，對於中國學研究而言，援用「加上法」具有一定的積極意義。故而筆者（武內義雄）大力提倡富永仲基的學問方法論。

第二章　文字學

第一節　敘　說

　　直至最近，漢字研究在中國才被稱為「文字學」，但文字學研究的歷史至少可以追溯至兩千年之前，長久以來中國學者所謂的小學即為文字學。之所以稱之為小學是因為文字的學問是經學的入門階段，是針對幼童的啟蒙教育。而現今的文字學卻是一門頗為複雜的專業研究，與其說是經學的入門，不如說是經學研究的根本和基礎。另外，文字學的重要性不僅針對經學而言，它是一切文獻研究的基礎，也是中國學研究的根本學問。晚近，以嚴謹緻密著稱的清朝考證學倍受尊崇，其實清儒學問的根基也是文字學。戴震曾經說：「經之至者道也，所以明道者其詞也，所以成詞者字也。由字以通其詞，由詞以通其道，必有漸。」（《戴東原集》卷九，〈與是仲明論學書〉）正是強調文字學是經學的基礎，也是文獻研究的基本功底。此外，日文文獻通常也離不開漢字，所以中國的文字學對於日本學研究也大有裨益。

　　日本的假名是單純的表音符號，每一個假名都擁有各自獨特的形和音，但不能表達意義。而漢字是以象形為主的文字，兼備形音義，所以研究漢字必須兼顧形音義三個方面。人類的思想通過語言

表達，而語言又是由文字記錄，文字的義就是思想，文字的音就是語言，而文字的形就代表文字本身的符號。就產生順序而言，應該是先有思想，語言次之，文字最後，而文字學研究的順序則通常是首先研究字形，其次字音，最後字義。

第二節　字　形

一、字形的變遷

　　傳說黃帝的史官倉頡創造了文字，由於無人知曉倉頡所創文字之究竟，所以無從考證，不足以信憑。中國現存最古老的文字是甲骨文（龜甲文）。

　　所謂甲骨文是殷商時代在用於占卜的龜甲和獸骨上鐫刻的文字。據《周禮‧春官》記載，中國古代民族曾經用龜卜的方法判斷吉凶，但長久以來都缺乏實物證據。終於在光緒二十五年（1899），河南安陽縣以西五里的小屯出土了不少殘缺的龜甲獸骨，其上刻有各種符號，酷似文字，字體卻與後世大不相同，所以沒有人能夠解讀。之後，大部分殘片流入丹徒劉鐵雲之手，被製成拓本《鐵雲藏龜》，公開之後逐漸引起學界的關注。當時文字學大家孫詒讓解讀拓本後撰寫《契文舉例》。其後羅振玉又編著《殷墟書契前後篇》、《殷虛書契菁華》、《殷商貞卜文字考》以及《殷墟書契考釋》等。而羅振玉的弟子王國維經過不懈努力，終於實證性的說明了這些龜甲獸骨殘片是商代龜卜的遺物，其上鐫刻的符號即為殷代文字，現存最古老的文字。

　　繼甲骨文後出現的是金文。所謂金文是指鐫刻於鐘鼎尊彝等古

代銅器之上的銘文。《禮記・大學》中引述殷湯時代的「盤銘」，《禮記・祭統》又中有記載「孔悝鼎銘」，說明金文是殷周兩代的文字。而據漢代許慎的《說文解字》「序」可知，漢代學者非常關注金文。而自魏晉至宋初的七百年間，似乎少有學者問津。之後，歐陽修的《集古錄》、呂大臨的《考古錄》問世，說明金文研究的風潮開始興起。隨後出現的《宣和博古圖》以及薛尚功的《種鼎彝器款識》等著作，則在學界掀起了好古熱潮。但是當時學者探究金文僅僅是基於個人興趣愛好，不同於真正意義上的學術研究。直至清代考證之學風靡，金文研究才漸次趨於學術化，陸續出現了阮元的《積古齋鐘鼎彝器款識》、吳榮光的《筠清館金石文字》、吳式芬的《攈古錄金文》、吳大澂的《愙齋集古錄》、王國維的《周金文存》等金石學研究著作，殷周古銅器銘文的神秘面紗逐漸被揭開。與此同時，學者還協力研究，集思廣益，撰寫金文釋文，從而樹立中國文字學研究史上的里程碑。這些古銅器銘文大都收錄於莊述祖的《說文古籀疏證》和吳大澂的《說文古籀補》中。另外，我國（日本）的《說文》學研究者高田忠周的《古籀篇》中收錄的金文最多。

　　大體而言，金文是周代文字，鐫刻於古銅器之上的銘文，至秦代則出現刻石。秦始皇統一天下之後巡獵郡縣，途經名山，即立頌德碑，以傳萬世。頌德碑即所謂的秦刻石。據《史記・始皇本紀》記載，鄒嶧山、泰山、瑯邪山、芝罘山、碣石山以及會稽山等處皆立有頌德碑，但大都不復存在。現今唯一儼然屹立的是瑯邪臺的刻石，拓本也隨處可見，碑文記有：「器械一量，同書文字」、頌讚秦始皇在統一文字方面的功績。關於統一文字的舉措，許慎在《說文解字・序》中也有記載：

> 分為七國，田疇異晦，車涂異軌，律令異法，衣冠異制，語
> 言異聲，文字異形。秦始皇帝初兼天下，丞相李斯乃奏同
> 之，罷其不與秦文合者。

說明頌德碑上所刻文字是李斯制定的篆文。

比較甲骨文、金文和秦刻石文，大體上能夠了解商代至秦代文字發展變遷的概略。特別是金文，種類繁多且欠缺統一性。這似乎暗示著銅器製造的年代和地域不同，同時也符合《說文解字·序》的記載，周末七國語言文字各不相同，統一文字是秦始皇必須的事業。

另外，《漢書·藝文志·六藝略》中還記載始皇統一文字的經過：

> 《倉頡》七章者，秦丞相李斯所作也；《爰歷》六章者，車
> 府令趙高所作也；《博學》七章者，太史令胡母敬所作也，
> 文字多取《史籀篇》，而篆體復頗異，所謂秦篆者也。

而且《說文解字·序》中也有類似記載，所以可以判斷，秦篆是秦代統一制定的文字，通過李斯的《倉頡篇》、趙高的《爰歷篇》以及胡母敬的《博學篇》得以推行，秦篆形成的基礎是《史籀篇》的字體。然而，《史籀篇》、《倉頡篇》、《爰歷篇》以及《博學篇》皆已散佚，不能看到它們的原形。幸好《說文解字·序》中引用有《倉頡篇》的部分佚文，加之晚近西域敦煌寶庫中也出土了《倉頡篇》的部分殘簡。根據它們可以推測，《倉頡篇》等四篇多採用四字句連用的行文方式，以便背誦文章，記憶文字，大致與史

游的《急就篇》和後世《千字文》類似。另外，《史籀篇》是由大篆書寫，大篆是秦篆形成的基礎，《倉頡篇》等三篇是由秦篆寫成，秦篆就是在大篆的基礎上加以改進後形成的小篆。根據《說文解字・序》的記載可知，許慎即以秦篆為基礎，折衷古文和籀文，論究文字的構造。但是，《說文解字》收錄的九千三百五十二個漢字中，籀文不過二百二十個，可見秦篆基本承襲保留了籀文的特點，雖有一少部分與籀文大相逕庭，但只占全體的三十分之一。另外，許慎撰作《說文解字》時，原本十五篇的《史籀篇》既已散佚六篇，所以《說文解字》中收錄的籀文僅占全部的三分之二。如果十五篇齊全，《說文解字》中應該收錄籀文三百三、四十個左右，也不能否定秦篆和籀文的承襲關係。傳說籀文是周宣王的太史籀制定的文字，而《說文解字》中引用的籀文比金文更具系統性，所以時代不會早於金文，大概處於石鼓文（刻石文）和秦篆之間，和秦大造商鞅銅量以及詛楚文摹本上的文字相似，是戰國時代秦國文字的代表。秦大造商鞅銅量是秦孝公十六年製成，字體和篆文完全相同。詛楚文摹本的字體大部分和篆文一致，但其中有四個字和籀文相同。所以王國維主張籀文是戰國時代秦國的文字。如此《說文解字・序》中所謂：「秦始皇帝初兼天下，丞相李斯乃奏同之，罷其不與秦文合者」的意思就更加清楚了。此外，王國維還主張《說文解字》中許慎參照的古文就是西漢時出自孔壁的《禮記》、《尚書》、《春秋》、《孝經》的文字，與平侯張倉進獻的《春秋左氏傳》的文字相同。而這些古文又是戰國時代齊魯等東方諸國的文字，與鐘鼎上鐫刻的文字完全不同。這又與《說文解字・序》中「是時，秦燒滅經書，滌除舊典。大發吏卒，興戍役。官獄職務繁，初有隸書，以趣約易，而古文由此絕矣」的記載一致。可以

說，王國維的研究解決了千古的疑問。

　　要而言之，我們可以根據甲骨文研究商代文字，通過金文研究周代八百餘年文字形體結構的變化以及地域文字的相違，也可以對照比較《說文解字》中收錄的籀文和古文，探究戰國時代西方秦國文字與東方齊魯文字的不同，最後還可以看出始皇統一文字的歷史意義。

　　許慎的《說文解字‧序》中還記載：「自爾秦書有八體：一曰大篆，二曰小篆，三曰刻符，四曰蟲書，五曰摹印，六曰署書，七曰殳書，八曰隸書。」說明秦人根據用途變換字體，其中刻符是指鐫刻於符契上的文字；蟲書是書寫在旗幟上的文字；摹印是印鑒專用文字；署書用於題寫匾額；殳書是鐫刻在兵器上的文字；而大篆、小篆和隸書則是日常使用的文字。上文既已說明，大篆即為籀文，小篆就是秦文。關於隸書，《漢書‧藝文志‧六藝略》記載：「是時始作隸書矣，起於獄官多事，苟趨省易，施之於徒隸也」，又有《說文解字‧序》記載：「秦燒滅經書，滌除舊典。大發吏卒，興成役。官獄職務繁，初有隸書，以趣約易」，可見篆書書寫速度太慢，不適應日益繁重的政府公務，必須改良，所以隸書應運而生。又據唐代張懷瓘的《書斷》所說，秦國下杜的程邈由於得罪始皇入獄，服刑期間苦思十年，簡化大篆和小篆的筆畫，創造隸書。許慎的《說文解字‧序》中也有類似的記事。不過筆者（武內義雄）認為，還是《漢書》的記載相對可信，篆書自然簡化從而形成隸書，並非由一兩個人創造。秦亡漢興後，隸書逐步取代篆書成為通用文字，但隸書的字體也各有不同。例如西漢五鳳二年的魯孝王刻石與東漢熹平石經的字體就存在一定的差異。另外，晚近西域出土的文獻中有西漢武帝太始三年、宣帝神爵四年、五鳳元年、平

帝元始元年、王莽天鳳元年、地皇元年、東漢光武帝建武二十二年、明帝永平十一年、章帝建初二年、安帝永初四年、順帝永和二年、以及魏陳留王景元四年等紀年明確的古竹簡，其中神爵四年的竹簡和永和二年的竹簡中既已展現出楷書的濫觴，最後景元四年的竹簡則完全是由楷書書寫。這說明楷書既已萌芽於漢代的隸書，至魏晉時代楷書發展成熟，王羲之、鍾繇的書法已然是純粹的楷書。但當時的評論家稱讚王鍾二人的艸隸十分精湛，並未言及二人善於楷書。之後的隋唐時代，則是楷書的全盛期，然而張懷瓘的《書斷》中尚無楷書的名目，《大唐六典》中記載的書體也只有古文、大篆、小篆、八分和隸書的五種，並未出現楷書，這說明楷書在唐代還屬於隸書的範疇，尚未成為一種獨立的字體。後世將書體細分為隸書、八分、楷書等，實際上三者之間並不存在人為劃分的區別。所以說，楷書是隸書隨時代的推移簡化而來，在長時間的形成過程中出現過各種各樣的形態，沒有固定的規範筆畫，難以判斷正誤。我們通過比較漢代至唐代的石碑可以看清楚隸書向楷書演化的過程，同時還能發現既已完全由楷書書寫的石碑中也存在和隸書近似的書體，以及隸書簡化後的書體等同一文字的不同形態。這是當時楷書尚未統一的原因造成的，正如同秦始皇制定秦文以前，金文也不統一。

　　楷書的統一始於唐代初年。唐初學者顏師古頗得唐太宗寵信，由中書侍郎一路官升秘書監弘文館學士。貞觀年間，太宗發現古來經書中存在很多訛誤，故而命顏師古進行校訂。顏師古勘正經書典籍後，作成「顏氏定本」，另外還將經典中書體不同的文字加以整理，標記正誤，當時被稱為「顏氏字樣」，廣為傳抄。之後顏師古四世孫顏元孫又對「顏氏字樣」加以整理，這就是著名的《干祿字

書》一卷。《干祿字書》根據《唐韻》排列文字順序,將字體大別為整體、通體和俗體三類。所謂整體是指具有確鑿根據,用於著作文章、對策、碑碣的文字;俗體是指雖然是不正確的文字,也可以用於賬簿、文案、券契和藥房等一般事務文書,但不能用於公文等正式文書;通體則指雖然字形不正確,但由於長時間的使用習慣,可以應用於表奏、牋啟、尺牘、判狀的文字。《干祿字書》對字體的區別如下:

聰聰聰　　上中通,下正,諸從悤者並同,他皆放此。

切功　　　上俗,下正。

辤辝辭　　上中並悆讓,下辭說,今作悆,俗作辝也。

比較刻石則不難發現,六朝碑碣不僅多用顏元孫所謂的通體字,俗體字也不少。而自唐代中期開始,碑文中的俗體字逐步減少,可見顏師古、顏元孫整理文字的功效。而顏師古五世孫顏真卿於大曆九年任湖州刺史之時,又將《干祿字書》謄清後,鐫刻於石碑之上,如此《干祿字書》和顏真卿的書法合二為一,成為後世書法的典範。

　　與顏元孫的《干祿字書》齊名的著作還有張參的《五經文字》和唐玄度的《九經字樣》。張參的生涯事跡不甚明瞭,《孟浩然集》(卷三)中記載:「送張參明經舉兼向涇州覲」,《錢考功集》(卷十)則記有:「送張參及第還家」,另外《郎官石柱題名》中還說張參曾經官拜司封員外郎,《五經文字・序》的署名則為司業張參。根據以上記載可以推斷,張參開元、天寶年間出於明經科,大曆初年官拜司封員外郎,繼而又任國子司業,大曆十年奉

詔與幾位儒臣共同校訂《五經》訓詁字義，撰著《五經文字》三卷。此書問世之初即被抄寫於太學孔子廟西側講堂牆壁之上，太和年間又雕刻成木製牌匾，懸掛於堂壁，而後又被製成刻石立於太學，可見當時對此書的重視程度。《五經文字》根據部首劃分為一百六十部，以《說文解字》為標準，判斷《五經》中文字的正誤，《說文解字》未曾收錄的文字則依據《字林》判斷，《說文解字》和《字林》中既已過時的字體，則以漢石經殘本為標準修正，而漢石經殘缺的部分則結合經典的抄本和陸德明的《經典釋文》中的略字加以判斷。就判斷文字正誤的標準而言，此書比《干祿字書》更加嚴密，顏元孫允許使用的通體字都被張參視為訛字。

　　《五經文字》問世五十八年之後的太和七年，唐文宗又命唐玄度校定《九經》字體。唐玄度則撰著《九經字樣》一卷，增補張參《五經文字》的欠缺。開成二年，此書被復刻於九經石刻的背面，立於國子監，從此與《五經文字》共同成為學界尊重的著作。

　　要之，從唐太宗到唐文宗，經過顏師古、顏元孫、張參、唐玄度的不懈努力，長久以來存在的眾多異體字被逐步整理規範，確定了正體字和俗體字。故而唐初之前的石碑中不但存在顏元孫所謂的通體，還有不少俗體，而唐代以後石碑中的異體字則漸次減少。以《康熙字典》為代表的後世字典也明確規定文字的正俗，但大都依據唐代學者的著作。由此可見，楷書的正俗確定於唐代，之前則沒有文字正俗之分。

　　許慎在《說文解字・序》中說：「漢興有艸書」，而狩谷掖齋則認為這原本是衛恒《四體書勢》中的一句，不慎竄入《說文解字・序》中，或許如此吧。但晚近敦煌出土的漢代木簡中確實出現草書，這說明《說文解字・序》的記載屬實。而漢代的草書又和後

世有所不同，其中顯現出不少隸書的影響。草書在以後的魏晉六朝時代發展迅速，經過唐宋至元明兩朝，相繼出現很多草書大家，同時也演變出多種多樣的字形。所以，後世出現了不少歸納總結草書書體的著作，可供學者參考，但沒有任何一部著作論定草書書體正俗之別。由此可見，草書沒有正俗之分，判定草書是否標準正規只能依據古人的書寫範例。其實，不僅是草書，所有的文字如果放任其自然發展都會出現這種現象。字體不統一會帶來諸多不便，所以為政者和學者才會進行文字字形的整理和規範工作。

中國歷史上共進行過兩次文字的整理規範，第一次是確立秦篆，第二次則是整理唐楷。確立秦篆是李斯的主張，始皇的英明決斷，東漢許慎的《說文解字》就是根據秦篆分析漢字構造，探究文字本義。唐楷則是顏師古、顏元孫、張參、唐玄度等奉敕命判定楷書的正誤而最終確定的，《干祿字書》和《五經文字》是唐楷的範本。而唐代學者判斷楷書字形正誤的標準又是《說文解字》，所以《說文解字》才是研究中國漢字字形的基礎文獻依據。

二、文字結構

如上所述，字形研究的唯一基準是《說文解字》，故首先對此書進行簡要的解說。

許慎，字叔重，汝南召陵人，官至太尉南閣祭酒。自幼博聞強記，師從賈逵學習古學，參考「通人說」撰著《說文解字》十五卷。《說文解字》於漢和帝永元十二年（公元 100 年）完成，漢安帝建光元年（公元 121 年）進獻朝廷。此書以李斯制定的秦篆為基礎，參酌籀文和古文，論究漢字構造，並根據構造說明文字本義。書中共收錄九千三百五十二個漢字，按照形體構造，編成五百四十部，

使全書整體秩序整然。今本《說文解字》有兩種版本：宋雍熙三年徐鉉校定的《說文解字》十五卷和南唐徐鍇校定的《說文繫傳》四十卷。徐鍇是徐鉉之弟，故而一般習慣稱徐鉉校訂本為大徐本，徐鍇本為小徐本，兩種版本有所不同且各有優劣。近世以來大徐本的校訂本中比較著名的有鈕樹玉的《說文解字校錄》，小徐本校訂本則有王筠的《說文繫傳校錄》，比較論究二徐本優劣長短的著作又有田吳炤的《說文二徐箋異》。此外還有唐寫本木部殘本，雖然殘缺，但與二徐本屬於不同系統，根據字體和闕字推斷，應該是唐穆宗初年的寫本，最初是莫有芝在黟縣宰張仁法（字廉臣，陝西山陽人）家發現，之後數次易主，現今由恩師內藤湖南先生收藏。同治年間，莫有芝復刻此版本，收錄從木部的柤字至楬字，共一百八十六字，不及《說文解字》全書的五十分之一，但此書是二徐校定《說文解字》之前的版本，是考量二徐本優劣長短的尺度，具有重要的參考價值。後世《說文解字》的注釋書可謂汗牛充棟，其中最著名的是段玉裁的《說文解字注》。

　　《說文解字》共收錄九千三百五十二個漢字，分為五百四十部，以「六書」說明漢字的構造。《說文解字・序》中關於六書的解釋如下：

> 《周禮》：「八歲入小學，保氏教國子，先以六書。」
> 一曰指事。指事者，視而可識，察而可見，「上下」是也。
> 二曰象形。象形者，畫成其物，隨體詰詘，「日月」是也。
> 三曰形聲。形聲者，以事為名，取譬相成，「江河」是也。
> 四曰會意。會意者，比類合誼，以見指撝，「武信」是也。
> 五曰轉注。轉注者，建類一首，同意相受，「考老」是也。

　　六曰假借。假借者，本無其字，依聲託事，「令長」是也。

所謂「指事」是表達抽象概念的文字符號，譬如橫線之上加一點即表示上，橫線之下加一點則表示下。「象形」是指描繪具體概念的圖畫文字符號，「日」和「月」是象形字的典型代表。「形聲」也叫「諧聲」，是在象形文字的基礎上附加表音符號。譬如「江」字和「河」字，三點水表示水流之意，而「工」和「可」表示讀音，「江」字用「工」的發音表達「水」的意義，「河」字用「可」的讀音表達「水」的意義。「會意」是指綜合兩種概念表達一種意義。譬如「戈」和「止」相結合，表達「武」的意義，「人」和「言」結合，表達「信」的意義，「武」表示整備軍力，防止戰爭，「信」表示人與人之間的口頭約定。要之，指事、象形、形聲和會意都比較簡單易懂，學界並無爭議，而「轉注」和「假借」則不然，至今學界未有定論。

　　古來關於「轉注」的學說最多，可謂舉不勝舉，筆者（武內義雄）認為，其中最具代表性的有以下三家：

　　（一）《說文繫傳》作者徐鍇的觀點。清儒江聲和許宗彥是徐鍇說的支持者。徐鍇認為，根據《說文解字》，「老」字的別字有「耆」、「耊」、「壽」、「耄」、「考」等，皆從「老」，歸入「老」部，取「老」的意義，即所謂「建類一首，同意相受」。按照徐鍇的觀點，「轉注」就如同水由源頭流出後，有的成為江水，而有的則成為漢水，即以「水」為根本形成「江」、「漢」等字。江聲則進一步發展徐鍇的學說，認為《說文解字》中以「老」作為部首即所謂「建類一首」，而「考」字從「老」簡化之形，表達「老」的意義，這就是所謂的「同意相受」。當然，不單是「考」

字，其他的「耆」、「耊」、「壽」、「耄」也都是列入「老」部之下的文字，同樣標註「從老省」，用「老」一字總括「耆」、「耄」等字的意義。《說文解字・序》中僅以「老」、「考」二字為例說明轉注的含義，實際上《說文解字》五百四十部的各個部首中的漢字都遵循「建類一首」的原則，部首之下所說的「凡某字之屬，皆從某」，即指「同意相受」（江聲《六書說》）。這種觀點看似十分精妙，但也存在一個疑點：《說文解字》中將「老」字解釋為由「人」、「毛」、「匕」結合而成的會意字，將「考」字解釋為「從老省，丂聲」的形聲字，可是《說文解字・序》中卻將二者列入「轉注」的名下。

　　（二）關於以上的疑點，戴震做出了解釋（《戴東原集》卷三「答江慎修先生論小學」）。戴震認為，《說文解字》將「老」、「考」二字作為會意和形聲，是根據文字的構造（體），而《說文解字・序》中將二者作為轉注的實例，則是根據文字的運用方法（用）。轉注後世稱為「互訓」，《說文解字》中的「老考也」和「考老也」，即為互訓的例子。《爾雅》全書都在運用互訓的方法，譬如《爾雅・釋詁》中所謂的「卬、吾、台、予、朕、身、甫、余、言，我也」，就是轉注或互訓的注釋方法。像這樣用一字說明數字意義，即所謂「建類一首，同意相受。」以上是戴震說的梗概，其門下弟子段玉裁在《說文解字注》中也繼承了師說。戴震的觀點非常精妙，但仍然存在兩點疑點：第一，戴震認為轉注即為互訓，「注」即為「訓」，表示訓釋、解釋。這種解釋是在東漢鄭玄之後才開始出現，怎能用它去解釋周官保氏的六書呢？第二，戴震以《爾雅》為例說明「建類一首」的意義，但《爾雅》中對不同文字字義的解釋說明通常置於最後（上文實例中的「我也」即位於「吾」、

「台」、「余」等字的最後），這種方式是否可以視為「建類一首」呢？這兩點是戴震說的缺憾之處。

　　(三)以上兩種觀點是根據《說文解字・序》中所言「轉注者，建類一首，同意相受，考老是也」，說明轉注的含義，兩者皆存在一定程度的缺憾。除此之外，另有不少學者脫離《說文解字・序》闡述轉注的意義，其中最具代表性的是顧炎武和江永的觀點。《音論》是顧炎武的名著之一，在「六書轉注之解」（《音論》卷下）一篇中，顧炎武主張轉注即為轉音用於其他文字的意義。江永則進一步發展顧炎武的學說，主張轉注就是本義外展引申成為其他意義。按照顧炎武和江永的觀點，轉注字中包含改變讀音和不改變讀音的兩種情況，但無論讀音變化與否，只要字義發生轉變，就可以看做是轉注字（《戴東原集》卷三「答江慎修先生論小學」）。顧炎武和江永的觀點雖然十分明確清晰，但問題在於和《說文解字・序》沒有絲毫的關係。關於這個問題，狩谷掖齋做出了比較合理的解釋。《說文解字・序》中關於轉注的解釋並不明確，且與《說文解字》本書的內容自相矛盾。不僅是轉注，假借也是如此，《說文解字・序》中將「令」、「長」二字作為假借的實例，而這兩個字在《說文解字》本書中卻屬於會意和形聲。由此可見，《說文解字・序》和《說文解字》之間明顯存在矛盾，對六書的解釋似乎並非出自許慎之手。《魏書・江氏傳》中的《論書表》大體上承襲《說文解字・序》，論述六書的部分中只有：「《周禮》：『八歲入小學，保氏教國子，先以六書。』一曰指事，二曰象形，三曰諧聲，四曰會意，五曰轉注，六曰假借。」並沒有舉例說明。而《晉書・衛恒傳》中的《四體書勢》對六書的解釋則是：「字有六義焉：一曰指事，『上下』是也；二曰象形，『日月』是也；三曰形聲，『江

河』是也；四曰會意，『武信』是也；五曰轉注，『考老』是也；六曰假借，『令長』是也。」首次列舉六書的實例。大概這些實例後來竄入了《說文解字·序》之中。另外，《漢書·藝文志》中也有關於六書的記載，其下還有顏師古的注釋：「象形謂畫成其物，隨體詰屈，『日月』是也；象事即指事也，謂視而可識，察而見意，『上下』是也……」與今本《說文解字·序》大體相同，但顏師古並未明確指出這段注釋出自《說文解字·序》，也未說明這是許慎的觀點。由此可見，顏師古所見到的《說文解字·序》中尚未竄入六書的實例。再者，以上顏師古的注文皆每兩句押韻，而今本《說文解字·序》中對指事的解釋為：「視而可識，察而可見」，並不押韻，這也說明顏師古的注文比《說文解字·序》更加準確。而今本《說文解字·序》對六書的舉例說明部分則是由於誤引其他文獻造成的。綜上所述，今本《說文解字·序》與本書之間的矛盾是後學編纂時誤引文獻造成的。所以，我們應該脫離《說文解字·序》解釋六書的含義。大體而言，六書中的前四項比較明確，皆說明文字的構造，後兩項的轉注和假借則並非就文字的構造而言，而是就運用方法而言，轉注指字義的輾轉變化，假借則指借用字音表達其他意義。譬如「令」字的本義為號令，而號令是用於命令他人，所以由此引申出命令的意義；同時命令他人者通常是「長」，由此又引申出長官之意，例如「縣令」等，這就是所謂的轉注義。由此可見，轉注表示轉運灌注之意，指由文字的本義引申出的其他意義。今本《說文解字·序》中假借的實例「令」、「長」二字，實際上應該作為轉注的實例。以上是狩谷掖齋關於六書的觀點，大概對江永有一定的影響。如果我們肯定江永和狩谷掖齋的觀點，就不難理解六書的意義：前四項是文字構造論，後兩項則為文字運用

論。[1]

---

[1] 狩谷掖齋關於轉注的學說收錄於《百家說林》和《日本古典全集》、《狩谷掖齋全集》第三之中。狩谷掖齋主張應該刪除今本《說文解字·序》中後人附加竄入部分。這看似過於武斷，但玩味《說文解字·序》則不難發現，除狩谷掖齋指出的後人附加部分之外，還有不少字句似乎並非出自許慎之手。所以狩谷掖齋的觀點比較合理。以下是今本《說文解字·序》原文，下劃線表示疑似後學竄入部分。

　　敘曰：古者庖犧氏之王天下也，仰則觀象於天，俯則觀法於地，視鳥獸之文與地之宜，近取諸身，遠取諸物，於是始作《易》八卦，以垂憲象。及神農氏，結繩為治而統其事，庶業其繁，飾偽萌生。黃帝之史倉頡，見鳥獸蹄迒之迹，知分理之可相別異也，初造書契。百工以乂，萬品以察，蓋取諸夬，夬揚於王庭。言文者宣教明化於王者朝廷，君子所以施祿及下，居德則忌也。倉頡之初作書，蓋依類象形，故謂之文。其後形聲相益，即謂之字。文者物象之本，字者言孳乳而寖多也。著於竹帛謂之書，書者如也。以迄五帝三王之世，改易殊體。封於泰山者七十有二代，靡有同焉。《周禮》：八歲入小學，保氏教國子，先以六書。一曰指事。指事者視而可識，察而可見，上下是也。二曰象形。象形者畫成其物隨體詰詘，日月是也。三曰形聲。形聲者以事為名取譬相成，江河是也。四曰會意。會意者比類合誼以見指撝，武信是也。五曰轉注。轉注者建類一首同意相受，考老是也。六曰假借。假借者本無其字依聲託事，令長是也……即亡新居攝，使大司空甄豐等校文書之部，自以為應制作，頗改定古文，時有六書：一曰古文，孔子壁中書也；二曰奇字，即古文而異者也；三曰篆書，即小篆，秦始皇帝使下杜人程邈之所作也；四曰左書，即秦隸書；五曰繆篆，所以摹印也；六曰鳥蟲書，所以書幡信也。

以上《說文解字·序》中施以下劃線之處疑似並非出自許慎之手。首先第一處「見鳥獸蹄迒之迹」以下兩句似乎與上文「視鳥獸之文」重複，意思也不明確。其次的「蓋取諸夬」以下幾句出自《易·繫辭》和「夬卦·象傳」，與之後出現的「倉頡之初作書，蓋依類象形，故謂之文」相矛盾。另外，「文者物象之本」等兩句雖然並無可疑之處，但之後的

第三節　字　音

一、音韻學文獻

　　字形隨時代的發展發生變化，字音也是如此。另外不同的地理位置會出現不同的讀音。由於中國原本沒有表音符號，所以新的讀音出現後，舊的讀音會逐步失傳。由此可見，研究漢字讀音的變化比研究字形構造更加困難。以下，筆者首先列舉音韻學研究的參考文獻，再根據這些文獻敘述漢字讀音變化的梗概。

一、【魏】李登：《聲類》十卷（著錄於《隋志》、《兩唐志》以及《見在書目》，既已失傳，《封氏聞見記》記載，此書區分五聲，應用反切。）

二、【晉】呂靜：《韻集》六卷（著錄於《隋志》，據《見在書目》、《唐志》以及《江氏傳》記載：「呂靜倣李登《聲類》之法作《韻集》五

　　「書者如也」卻和《說文解字》本書的解釋不同（《說文解字》：「書箸也從聿者聲。」），可見並非許慎所著。而之前與之相呼應的「文者物象之本」等兩句，自然也出自後學之手。之後關於「六書」的解釋說明，狩谷掖齋則認為源自衛恒的《四體書勢》，因為《說文解字》中並未將「考老」解釋為轉注，也未將「令長」解釋為假借。最後「秦始皇帝使下杜人程邈之所作也」的一句，說明篆書即為現今的小篆。段玉裁認為，上文已經明確指出李斯、趙高和胡母敬創製小篆，此處又說是程邈創造，前後矛盾，並主張此句應該移至「四曰左書，即秦隸書」一句之後。而涉江抽齋則主張此句也源自衛恒的《四體書勢》，在《四體書勢》中此句之前還有「或曰」二字，故而絕非出自許慎之手。筆者（武內義雄）則認為，此句是後學根據《四體書勢》為「四曰左書，即秦隸書」一句添加的注釋，而注文往往會被誤抄成原文。推而廣之，可以說《說文解字・序》中「六書」的解釋說明部分中的可疑之處是混入的注釋，如果將這些字句刪除，文意就變得十分通暢明確。

卷。」）

三、段弘：《韻集》八卷（記載於《隋志》。）

四、李槩：《音譜》四卷（記載於《隋志》及陸法言《切韻‧序》。李槩，字季節。）、《修續音韻決疑十四卷》（記載於《隋志》及《顏氏家訓》。）

五、王廷：《文字音》七卷（記載於《隋志》。）

六、無名氏：《文章音韻》（記載於《七錄》。）

七、王該：《五音韻》五卷（記載於《七錄》。）

八、釋靜洪：《韻英》三卷（記載於《隋志》。）

九、周研：《聲韻》四十一卷（記載於《隋志》，陸法言《切韻‧序》中引有「周思言《音韻》」，不知周思言與周研是否為同一人。）

十、周顒倫：《四聲切韻》（記載於《南史本傳》。）

十一、沈約：《四聲譜》一卷（記載於《梁書本傳》。）

十二、王斌：《四聲論》（記載於《南史‧陸厥傳》。）

十三、張諒：《四聲韻林》二十八卷（記載於《隋志》，《見在書目》中記載為「戴規韻林二卷」。）

十四、劉善經：《四聲指歸》一卷（記載於《隋志》及《見在書目》。）

十五、夏侯詠：《四聲韻略》十三卷（記載於《隋志》，陸法言《切韻‧序》中，「夏侯詠」作「夏侯該」。）

十六、楊休之：《韻略》一卷（陸法言《切韻‧序》中作「陽休之」，《隋志》中則作「楊林之」。）

十七、杜臺卿：《韻略》（記載於陸法言《切韻‧序》。）

十八、陸法言：《切韻》五卷（記載於《隋志》、《兩唐志》以及《見在書目》。《新唐志》中作「陸慈」，《和名抄引》中則作「陸詞」。此書問世於仁壽三年，公元 601 年。）

十九、長孫氏：《切韻箋注》五卷（記載於《切韻·序》，此書問世於唐
　　　高宗儀鳳二年，公元 677 年。）

二十、郭知玄：《切韻》五卷（《廣韻》卷首記載，郭知玄拾遺緒正陸法
　　　言《切韻》，以朱箋三百字。）

二十一、關亮：《切韻》

二十二、薛峋：《切韻》

二十三、王仁昫：《切韻》五卷（敦煌出土殘卷現藏於法國巴黎國民圖書
　　　　館。）

二十四、裴務齊：《切韻》五卷（唐代女道士吳彩鸞手抄殘卷《刊謬補缺
　　　　切韻》，題首之下記有：「朝議郎行衢州信安縣尉王仁昫撰。」）

二十五、祝尚丘：《切韻》五卷

二十六、孫愐：《切韻》五卷（亦稱「廣切韻」、「廣韻」或「唐韻」，
　　　　問世於唐玄宗天寶十年，公元 751 年。）

二十七、嚴寶文：《切韻》

二十八、陳道固：《切韻》五卷（郭知言以下九家著作皆記載於《廣韻》
　　　　卷首。）

二十九、釋弘演：《切韻》十卷

三十、麻杲：《切韻》五卷

三十一、孫仙：《切韻》五卷

三十二、王在藝：《切韻》五卷（《佩觿》引作「王存乂」，《古文四聲
　　　　韻》中則作「王存義」。）

三十三、沙門清澈：《切韻》五卷

三十四、盧自始：《切韻》五卷

三十五、蔣魴：《切韻》五卷

三十六、韓知十：《切韻》五卷

三十七、武玄之：《韻詮》十卷（孫愐以下明記卷數者皆記載於《見在書目》，此類「切韻」皆散佚不傳，但在《倭名類聚抄》、《弘決外典抄》、《五行大義背記》、釋仲算《法華經音義》以及釋信瑞《淨土三部經音義》中存在大量的引用文。）

三十八、僧猷智：《辨體補脩加字切韻》五卷（記載於《新唐志》。）

三十九、李邕：《唐韻要略》一卷（記載於《通志》。）

四十、無名氏：《唐韻正義》五卷（記載於《見在書目》。）

四十一、義雲：《切韻》（記載於《古文四聲韻》。）

四十二、李審言：《切韻》（記載於《佩觿》。）

四十三、李舟：《切韻》十卷（記載於《新唐志》，《宋志》則作五卷。）

四十四、元庭堅：《韻英十卷》（記載於《玉海》，不知是否與《舊唐志》所載「玄宗《韻英五卷》」相同，另外《南部新書》中又將此書作者記作「陳庭堅」。）

四十五、張戩：《考聲切韻》

四十六、陳彭年等：《宋重修廣韻》五卷（宋大中祥符四年。）

四十七、丁度等：《集韻》十卷（景祐四年敕命編撰，成書於治平四年。）

四十八、《禮部韻略》五卷

四十九、《增修互注禮部韻略》五卷（宋代毛晃增注，其中毛居正校勘重增。）

五十、王文郁：《新刊韻略》五卷

五十一、張天錫：《草書韻會》五卷

五十二、《古今韻會舉要》三十卷

五十三、《中原音韻》

五十四、《洪武正韻》十六卷

二、音韻變遷

　　根據以上列舉的音韻學文獻，大體可以爬梳中國音韻學的變遷過程。曹魏時期李登的《聲類》和晉代呂靜的《韻集》是中國最早的音韻學研究著作，兩者都按照「五聲」或「五音」分類，王該的《五音韻》基本上也屬於此類。之後至六朝末年，論究「四聲」的著作相繼問世，代表著作有周顒倫的《四聲切韻》和沈約的《聲譜》，這是第二類。而後的隋唐之際，冠以「切韻」之名的音韻學著作愈來愈多，陸法言的《切韻》、孫愐的《唐韻》以及李舟的《切韻》是為代表，這是第三類。宋代陳彭年的《宋重修廣韻》，也屬於這一系統，且流傳至今。另外，唐代音韻學研究中比較有特色的還有元庭堅的《韻英》和張戩的《考聲切韻》，這是第四類。之後則出現了劃時代的著作——王文郁的《新刊韻略》和黃公紹的《韻會》，而之前的《集韻》和《禮部韻略》既已開創了王黃二人研究的先河，這是第五類。最後則是《中原音韻》和《洪武正韻》，根據這兩部著作可以明確舊來韻書記錄的讀音與當時漢字讀音的不同之處，這是第六類。以上六類音韻學著作也可以分成五個時期：魏晉之前為第一期；六朝末年至唐初為第二期；唐代中葉為第三期；宋元時代為第四期；元明以後則為第五期。根據以上的分類和時代劃分，我們可以研究中國音韻學發展變遷的經緯。

　　第一期著作皆散佚不傳，封演的《聞見記》中記載：「魏時有李登，撰《聲類十卷》。凡一萬一千五百二十字，以無聲分字，不立諸部。」可見，此書是以「宮商角徵羽」五聲區別漢字讀音。關於呂靜的《韻集》，《魏書·江氏傳》中記載：「晉之呂忱表上

《字林六卷》。忱之弟靜，別倣故左校令李登《聲類》之法作《韻集》五卷，成「宮商角徵羽」一卷。」由此看來，呂靜的《韻集》和李登的《聲類》應該大致相同。但是，《顏氏家訓·音辭篇》中又指出：「《韻集》，以『成』和『仍』，『宏』和『登』合為兩韻，『為』、『奇』、『益』、『石』為四章。」顯而易見，呂靜將每種聲都分為若干種韻，而李登則只分五聲不立諸部，這是《聲類》和《韻集》的不同之處。但五聲的分類方法依然是兩者的共同之處，明顯不同於後世周顒倫、沈約等學者的四聲分類法，證明魏晉時代以前確實存在五聲分類。

　　進入第二期，首先是齊梁之際，音調整齊的文體逐漸流行，這似乎說明當時的音調既已發生變化，與魏晉時代不同，所以一直沿用的五聲再不能嚴密的規劃音韻。《南齊書·陸厥傳》中載有沈約之語：「宮商之聲有五。文字之別累高。以累萬之繁，配五聲之約，高下低昂，非思力所舉……自古辭人，豈不知宮羽之殊、商徵之別。雖知五音之異，而其中參差變動，所昧實多。」這說明五聲分類法已經脫離實際，不適應語音發展變化的要求。這正是「四聲」學說興起的原因。上節列舉的文獻之中，夏侯詠《四聲韻略》以下的各種著作，皆以四聲說為理論依據，其中最具代表性的是陸法言的《切韻》。關於陸法言生涯事跡的傳記不多，《隋書·陸爽傳》記載：「陸爽字開明，魏郡臨漳之人。自齊入周，隋之時為太子洗馬，開皇十一年卒官。年五十三。子法言敏學而有家風，得褐於承奉郎。」據說，開皇二十年，由於亡父陸爽觸怒高祖，陸法言被罷官。《切韻·序》中又說，《切韻》成書於仁壽元年。所以《切韻》應該是在陸法言被罷官之後完成的著作。《新唐志》中將《切韻》記為「《陸慈切韻》」，《倭名鈔》中則記為「《陸詞切

韻》」。筆者認為，「詞」是陸法言的本名，「法言」是為其字，
而「慈」則是同音字的誤寫。《切韻·序》中有云：

> 昔開皇初，有儀同劉臻等八人，同詣法言門宿。夜永酒闌，
> 論及音韻。以今聲調既自有別，諸家取捨，亦復不同……呂
> 靜《韻集》、夏侯該《韻略》、陽休之《韻略》、周思言
> 《音韻》、李季節《音譜》、杜臺卿《韻略》等，各有乖
> 互。江東取韻，與河北復殊。因論南北是非古今通塞，欲更
> 捃選精切除削疏緩。蕭（國子博士蕭該）多所決定。魏著作
> （魏淵）謂法言曰：「向來論難，疑處悉盡，何不隨口記
> 之，我輩數人定則定矣。」法言即燭下握筆略記綱記。博問
> 英辯，殆得精華。（《廣韻》卷首所載《切韻·序》）

由此可知，青壯年時期的陸法言與劉臻等八位學者論究音韻之學，
記錄蕭該、顏之推等人關於歷代韻書的研究結果，這是《切韻》一
書的理論基礎。罷官後的陸法言在教授子弟之際，又結合古來音韻
學著作以及字書，從新整理之前的記錄，從而撰成《切韻》五卷。
陸法言的《切韻》完成於仁壽元年（601）。之後的儀鳳二年
（677），長孫訥言又對其補正文字，添加箋注，訂正舊本的訛誤，
這就是所謂的「長孫氏箋注本」。陸氏《切韻》和長孫氏的箋注本
《切韻》既已散佚，後世學者大都認為《廣韻》的部目順序踏襲陸
氏《切韻》的原本。而晚近敦煌寶庫中出土的陸氏原本殘卷和長孫
氏箋注本殘卷，卻否定了這種觀點。所謂敦煌本《切韻》實際上是
指保存在法國巴黎國民圖書館的三種殘本。第一種殘本是從「上聲
海韻」至「銑韻」的十一韻五十四行，第二種則由卷首至「九

韻」，卷首之前還分別記有陸法言和長孫訥言的序文，第三種殘本中則保存著「平聲一卷」、「入聲一卷」以及「入聲四卷」。學界普遍認為第一種殘本是陸氏原本，第三種殘本是長孫氏箋注本。將以上三種《切韻》殘卷較以《廣韻》，不難發現在韻目和韻的排列順序方面存在諸多不同。

筆者（武內義雄）遊學歐洲時，曾經在柏林普魯西學士院查閱勒科克（Albert von Le Coq）的文獻資料，無意中發現了兩張疑似陸法言《切韻》殘片的文獻記錄。第一張是上聲「止尾語姥薺蟹賄」七韻的一部分，這部分內容同樣存在於巴黎的長孫箋注刪節本中。另一張則是去聲「震問焮願」四韻的斷簡，這部分在三種巴黎本中都沒有記錄。王靜安研究三種巴黎本後得出結論：陸氏《切韻》不同於《廣韻》的特異之處在於，平聲中無「移諄桓戈」四韻，上聲中無「準媛果」三韻，入聲中無「術曷」兩韻。很明顯，王靜安的結論並沒有言及去聲部分，這大概是由於缺乏確鑿文獻資料之故。而現今的殘片能夠力證陸氏《切韻》去聲部分也沒有與平聲的「諄」、上聲的「準」相對應的「稕」。由此又可以推定，陸氏《切韻》去聲中既沒有與平聲「桓」對應的「換」，也沒有與平聲「戈」對應的「過」。

長孫訥言箋注本之後問世的「切韻」還有王仁昫的《刊謬補缺切韻》。此書的唐鈔本殘卷也保存於法國巴黎國民圖書館。筆者（武內義雄）旅歐時曾拍攝照片帶回日本。此書第一卷和第二卷的卷首部分存在斷簡和亂簡，所以看不到明確的序文和題名。而第三、四、五卷的卷首儼然題有「刊謬補缺切韻卷第幾」，次行署名「朝議郎行衢州信安縣尉王仁昫字德溫新撰定」，再次行即列舉韻目，之後則是本文部分。中國也保存有另外一種版本——吳彩鸞本。吳

彩鸞是唐代女道士，據說吳彩鸞為一位名叫文蕭的人抄寫此書。最近，吳彩鸞本的石印本廣為流布。此書卷首題有「刊謬補缺切韻」，題名之下署名「朝議郎行衢州信安縣尉王仁昫撰」，次行記有「前德州司戶參軍長孫訥言注，承奉郎行夏縣主簿裴務齊正字」，之下明記全書字數，而後還分別揭載王仁昫與長孫訥言撰寫的序文，最後則另起一頁，記「字樣」二字，列舉韻目。此書中雖然散佚部分也為數不少，但除第二卷以外，每卷的卷首都保存完好，所以我們可以看到較為完整的韻目。以下分別列舉吳彩鸞本和巴黎本的韻目部分，並試做分析。

○《切韻》平聲一（吳彩鸞本）

一東、二東（無上聲，陽與鐘江同，呂夏侯別，今依呂夏侯）、三鐘、四江、五陽、六唐、七支、八脂（呂夏侯與微韻大亂離，陽李杜別，今依陽李）、九之、十微、十一魚、十二虞、十三模、十四齊、十五皆、十六灰、十七臺、十八真（呂與文同，夏侯陽杜別，今依夏侯杜）、廿文、廿一斤、廿二登、廿三寒、廿四魂、廿五痕。

○《刊謬補缺切韻》卷第二廿八韻（巴黎本第二卷卷末）

一先、二仙、三蕭、四霄、五肴、六豪、七歌、八麻、九覃、十談、十一陽、十二唐、十三庚、十四耕、十五清、十六青、十七尤、十八侯、十九幽、廿侵、廿一鹽、廿二添、廿三蒸、廿四登、廿五咸、廿六銜、廿七嚴、廿八凡。

○ 《刊謬補缺切韻》卷第三上聲五十二韻（巴黎本）

一董（呂與腫同，夏侯別，今依夏侯）、二腫、三講、四紙、五旨（夏侯與止為疑，呂陽李陽李杜別，今依呂陽李杜）、六止、七尾、八語（呂與虞同，夏侯陽李杜別，今依夏侯陽李杜）、九虞、十姥、十一薺、十二蟹（李與駭同，夏侯別，今依夏侯）、十三駭、十四賄（李與海同，夏侯為疑，呂別，今依呂）、十五海、十六軫、十七吻、十八隱（呂與吻同，夏侯別，今依夏侯）、十九阮（夏侯陽杜與混很同，呂別，今依呂）、廿混、廿一很、廿二旱、廿三潸（呂與旱同，夏侯別，今依夏侯）、廿四產（陽與銑獮同，夏侯別，今依夏侯）、廿五銑（夏侯陽杜與獮同，呂別，今依呂）、廿六獮、廿七篠（陽李夏侯與小同，呂杜別，今依呂杜）、廿八小、廿九巧（呂與晧同，陽與篠同，夏侯並別，今依夏侯）、卅晧、卅一哿、卅二馬、卅三感、卅四敢（呂與檻同，夏侯別，今依夏侯）、卅五養（夏侯在平聲陽唐，入聲藥鐸並別，上聲養蕩為疑，呂與蕩同，今別）、卅六蕩、卅七梗（夏侯與靖同，呂別，今依呂）、卅八耿（李杜與梗迥同，呂與靖迥同，與梗別，夏侯與梗靖迥並別，今依夏侯）、卅九靜（呂與迥同，夏侯別，今依夏侯）、卌迥、卌一有（李與厚同，夏侯與□同，呂別，今依呂）、卌二厚、「卌三黝」、卌四等、卌五琰（呂與忝范豏同，夏侯與范豏別，與忝同，今並別）、「卌六忝」、「卌七拯」、卌八等、卌九豏、「五十檻」、五十一广（陸無此韻目失）、五十二范（陸無反，取之上聲失）。

○ 《刊謬補缺切韻》卷第四去聲五十七韻

一送、二宋（陽與用絳同，夏侯別，今依夏侯）、三用、四絳、

五寘、六至（夏侯與志同，夏侯別，今依夏侯）、七志、八未、九御、十遇、十一暮、十二泰（無平上聲）、「十三霽」、十四祭、十五卦、十六怪、「十七夬」、十八隊（李與代同，夏侯為疑，呂別，今依呂）、十九代、廿廢（無平上聲，夏侯與對同，呂別，今依呂）、「廿一震」、廿二問、廿三焮、廿四願（夏侯與慁別，與恨同，今並別）、「廿五慁」、「廿六恨」、廿七翰、廿八諫、「廿九襉」、卅霰（陽李夏侯與線同，夏侯與□同，呂杜並別，今依呂杜）、卅一線、卅二嘯（陽李夏侯與笑同，夏侯與效同，呂杜並別，今依呂杜）、卅三笑、卅四効（陽與嘯笑同，夏侯杜別，今依夏侯杜）、卅五號、卅六箇（呂別禡同，夏侯別，今依夏侯）、卅七禡、卅八勘、卅九闞、卅漾（夏侯在平聲陽唐，入聲□□□並別，去聲漾宕為疑，呂與宕同，今）、卅一宕、卅二敬（呂與靜同，勁徑並別，夏侯與勁同，與靜徑別，今並別）、卅三靜、卅四勁、卅五徑、卅六宥（呂李與侯同，夏侯為疑，今別）、卅七侯、卅八幼（杜與宥侯同，呂夏侯別，今依呂夏侯）、卅九沁、五十豔（呂與梵同，夏侯與栝同，今別）、五十一栝、五十二證、五十三嶝、五十四陷（李與鑑同，夏侯別，今依夏侯）、五十五鑑、五十六嚴（陸無此韻目失）、五十七梵。

○《刊謬補缺切韻》卷五入聲三十二韻

「一屋」、二沃（陽與燭同，呂夏侯別，今依呂夏侯）、三燭、四覺、五質、六物、七櫛（呂夏侯與質同，今別）、八迄（夏侯與質同，呂別，今依呂）、九月（夏侯與沒同，呂別，今依呂）、十沒、十一末、十二黠、十三鎋、十四屑（李夏侯與

> 薛同，呂別，今依呂）、十五薛、十六錫（李與昔同，夏侯與陌
> 同，呂與昔同，與麥同，今並別）、十七昔、十八麥、十九
> 陌、廿合、廿一盍、廿二洽（李與狎同，夏侯別，今依夏
> 侯）、廿三狎、廿四葉（呂與帖洽同，今別）、「廿五帖」、
> 「廿六緝」、廿七藥（呂杜與鐸同，夏侯別，今依夏侯）、廿八
> 鐸、「廿九職」、「卅德」、「卅一業」、「卅二乏」
> （呂與葉同，夏侯與合同，今並別）。

以上列舉韻目只有第一卷是依照吳彩鸞本，其餘全部依照巴黎本。
括號「」內文字是根據其他韻書推測出的，因為抄本中的記錄並不
清楚。通覽以上韻目則不難發現，著者屢屢批判呂靜、李季節、夏
侯詠、陽休之、杜臺卿等人的韻目分類方法，在此基礎之上說明自
身觀點。雖然這看似王仁昫一家之言，但是在《切韻・序》中，王
仁昫說過：

> 陸法言《切韻》，時俗共重以為典規。然若字少，復闕字
> 義，可為《刊謬補缺切韻》，削舊濫俗，添新正典。（出自
> 吳彩鸞本）

可見，王仁昫根據陸法言《切韻》分類韻目。而陸法言在《切韻・
序》中也曾明言自身參考呂靜、李季節、夏侯詠、陽休之、杜臺卿
等人的音韻學研究著作，並以蕭該、顏之推對以上歷代各種學說的
審定裁度作為自身研究的理論基礎。所以，王氏《切韻》大體上繼
承了陸氏《切韻》的觀點，同樣以蕭該、顏之推的學說作為理論基
礎。陸氏《切韻》至今已無完本，僅存的巴黎本中也沒有韻目的下

注，故而我們無法得知陸法言在撰著《切韻》時，根據蕭該、顏之推的學說對於歷代音韻學的研究成果進行如何的選擇取捨。幸好王氏《切韻》的韻目中保留了一部分註記，據此可以窺知蕭該、顏推之的觀點和學說。這是王氏《切韻》最為珍貴之處。繼王氏《切韻》之後問世的韻書中，最著名的是孫愐的《唐韻》。此書在《新唐志》中記錄為「唐韻」，而在《倭名鈔》中除《唐韻》之外，引用孫愐的《切韻》，慧琳的《一切經音義》中引用孫愐的《廣切韻》，希麟的《續一切經音義》中引用孫愐的《廣韻》。筆者（武內義雄）認為這不過是同書異名而已。由於孫愐撰著《唐韻》是為補正陸法言的《切韻》，所以也稱為「廣切韻」，如果省略「廣」字，即為「切韻」。孫愐的《切韻》也不傳於今，羅振玉曾經在北京的書店偶然發現唐寫本《唐韻》「去聲」殘一卷，以及「入聲」全卷。吳縣的蔣斧重金購買了這部珍貴的唐寫本殘卷，並於光緒三十四年製成影印本。蔣斧在所作跋文中將此書定性為長孫訥言的箋注本，但王國維則主張此書即為孫愐的《唐韻》。

　　《廣韻》卷首序文記載，孫愐的《唐韻》成書於唐天寶十年（751），二、三十年之後，又有李舟的《切韻》十卷問世。李舟，字公受，任虔州刺史。杜甫嘗作〈送李校書二十六韻〉（收錄於《杜工部集》），詩中有云：「李舟名傅子，清峻文章伯。十五富文史，十八足賓客。十九授校書，二十聲輝赫。」此詩作於唐肅宗乾元元年（758），另據《舊唐書‧梁從義傳》記載，唐德宗建中元年（780），朝廷派遣李舟赴荊襄。故而大致可以斷定李舟是唐肅宗、代宗、德宗時代之人，其著《切韻》大約問世於孫愐《唐韻》之後三十年左右。李舟《切韻》也既已散佚不傳，徐鉉改定的《說文篆韻譜》「後序」中記載：「初《韻譜》既成，廣求餘本，孜孜讎

校，頗有刊正……今又得李舟《切韻》，殊有補益……疑者則以李氏《切韻》為正。」可見《說文篆韻譜》的部目順序和反切完全依照李舟的《切韻》，所以可以通過《說文篆韻譜》窺知李舟《切韻》的大致內容。另外，如果將《說文篆韻譜》較以陸法言《切韻》、孫愐《唐韻》以及《廣韻》則不難發現，李舟《切韻》的內容大體與宋代的《廣韻》一致，與陸氏、孫氏的著作不同。這大概是因為李舟的《切韻》在唐代並未受到認可和重視，直至徐鉉出現，才得到學界的認同，而《廣韻》的編撰者陳彭年又是徐鉉的弟子，所以才會摒棄陸孫兩家的《切韻》，傳依李舟《切韻》。以下，筆者（武內義雄）列舉陸法言《切韻》與宋《廣韻》在韻目排列次序方面的不同，並試做分析。

平	先	仙	蕭	宵	肴	豪	歌	戈	麻	陽	唐	耕	清	青	蒸	登	尤	侯	幽	侵	覃	談	鹽	添	咸	銜	嚴	凡
陸	一	二	三	四	五	六	七		八	九	一〇	一二	一三	一四	一五	一六	一七	一八	一九	二〇	二一	二二	二三	二四	二五	二六	二七	二八
廣	1	2	3	4	5	6	7	8	9	10	11	13	14	15	16	17	18	19	20	21	22	23	24	25	26	27	28	29

上	銑	獮	篠	小	巧	皓	哿	果	馬	養	蕩	耿	靜	迥	拯	等	有	厚	黝	寑	感	敢	琰	忝	豏	檻	儼	范
陸	二五	二六	二七	二八	二九	三〇	三一		三二	三三	三五	三六	三八	三九	四〇	四七	四八	四一	四二	四三	四四	三三	三四	四五	四六	四九	五〇	五一
廣	27	28	29	30	31	32	33	34	35	36	37	39	40	41	42	43	44	45	46	47	48	49	50	51	53	54	52	55

去	霰	線	嘯	笑	效	號	箇	過	禡	漾	宕	諍	勁	徑	證	嶝	宥	候	幼	沁	勘	闞	豔	㮇	陷	鑑	釅	梵
陸	三〇	三一	三二	三三	三四	三五	三六		三七	四〇	四一	四三	四四	四五	五二	五三	四六	四七	四八	四九	三八	三九	五〇	五一	四四	四五	五五	五六
廣	32	33	34	35	36	37	38	39	40	41	42	44	45	46	47	48	49	50	51	52	53	54	55	56	58	59	57	60

入	屑	薛								藥	鐸	麥	昔	錫	職	德				緝	合	盍	葉	帖	洽	狎	業	乏
陸	一四	一五								二七	二八	一八	一七	一六	二九	三〇				二六	二一	二二	二四	二五	二三	三一	三二	三三
廣	16	17								18	19	21	22	23	24	25				26	27	28	29	30	31	32	33	34

以上圖表顯示平韻下平聲和與之相對應的上去入三聲排列順序

方面的不同之處。陸氏《切韻》中共有上平二十六韻，《廣韻》則有二十八韻，所以圖表中最後一行的漢字表記數字的合計加上二十六之後，即相當於陸氏《切韻》韻目總數——一百九十三。而阿拉伯數字的合計加上二十八，即為《廣韻》韻目總數——二百零六。自顧炎武之後的清朝考證學家斷定《廣韻》即為陸氏《切韻》，但根據以上圖表能夠明顯看出二者於韻目劃分方法和排列順序方面的不同。王國維先生是論及這些問題的第一人，《觀堂集林》中也收錄有不少論究音韻學的文章，以上筆者的論述基本上以王國維先生的觀點為依據。總而言之，《廣韻》承襲李舟《切韻》，與陸法言《切韻》不同，但這些不同之處不過存在於局部，皆未能從根本上改變陸氏《切韻》，《廣韻》依然屬於第二期音韻變化的餘波。

　　第三期的音韻變化起於唐代中葉。雖然第二期音韻變化的餘波一直延續至宋代的《廣韻》，但這不過是創作古典詩歌的音韻，實際的音韻則早在唐朝中期既已發生變化。玄奘譯經時排斥舊譯佛學經典，倡導新譯，因為用唐代語音誦讀古代音譯佛經，聽起來和梵語原文相差甚遠，這也說明自古以來音韻變化的劇烈程度。所以唐代中期開始大規模修訂韻書。這一時期的代表性音韻學著作有元庭堅的《韻英》和張戩的《考聲切韻》。

　　據《唐會要》記載，天寶十四年（755）唐玄宗御撰《韻英五卷》，並命集賢院繕寫刊行。《集賢註記》中有載：

　　　上以自古用韻不甚區分，陸法言《切韻》又未能釐革，乃改
　　　撰《韻英》，仍舊為五卷，舊韻四百三十九，新加一百五十
　　　一，合五百八十韻，一萬九千一百七十七字，分析至細。
　　　（《玉海》四十五引唐韻書《集賢註記》）

而《南部新書》的記載卻是，天寶年間陳友、元庭堅撰《韻英十卷》。筆者（武內義雄）看來，這大概是元庭堅奉玄宗敕命編纂《韻英》之故。另外，慧琳在《一切經音義》中還說：

> 古來音反，多以傍紐而為雙音。始自服虔，元無定旨。吳音與秦音莫辯。清韻與濁韻難明。……近有元庭堅《韻英》及張戩《考聲切韻》，今之所音取則於此。

由此可知，慧琳是以《韻英》和《考聲切韻》為依據撰著《一切經音義》。張戩的生平以及《考聲切韻》的內容頗為不明，大概是和《韻英》同屬一派。慧琳所謂古來音韻不辨吳音漢音，說的則是形成於江左的《切韻》系統的語音不同於關中（唐都）的語言，而《韻英》和《考聲切韻》即是以關中音為主編撰而成的新韻，共劃分五百八十韻，解說分析也極為細緻。所以筆者（武內義雄）認為，《韻英》、《考聲切韻》以及《一切經音義》是為第三期音韻的代表。

在第四期裡，唐朝中期音韻革新，宋代卻並未承襲唐代新韻，而是重修《廣韻》。雖然如此，當時的字音似乎也沒有嚴格依照《廣韻》的規定。《廣韻》大抵完成於大中祥符四年（1011），大約經過二十六年之後，即景祐四年，丁度等人又受命編撰《集韻》。值得注意的是，《集韻》中合併不少《廣韻》中的韻目，《廣韻》的二百零六種韻目中有十三種被合併為同一類。《集韻》之後問世的韻書是《禮部韻略》，此書與《集韻》的韻目相同。此後又出現金朝王文郁的《韻略》和張天錫的《韻會》，兩書大抵同時問世，且皆將《廣韻》的二百零六種韻目合併為一百零七種。宋

理宗淳祐王子年間（1252），平水劉淵復刊王文郁的《韻會》，元代黃公紹撰著的《古今韻會舉要》則主要踏襲劉淵復刊的《韻會》。至此，一百零七韻的韻目分類方法成為韻書的主流，世稱「平水韻」。以上為第四期韻書變化發展的經緯。

　　第五期，元泰定甲子年（1324），出現周德清的《中原音韻》，這是以俗語為中心編撰的韻書，根據此書可得知當時的實際發音和古典韻書的不同之處。五十年之後，明《洪武正韻》問世，此書可謂古典韻書的大革新，規定了七十六種韻目。這種做法受到當時學界的諸多批評和指責，但此書在中國音韻學史上的價值是毋庸置疑的。

　　總而言之，中國韻書發展史大體上可以劃分為五個時期：（一）《聲類》、《韻集》時代；（二）《切韻》、《唐韻》時期；（三）《韻英》、《考聲切韻》時期；（四）《平水韻略》時期；（五）《洪武正韻》時期。據山梨稻川的《說文緯總論》記載，第二期以後的字音中的大部分，在日本得以傳承：

　　　　彼土之音傳於我者無慮有五。一曰吳音；二曰漢音；三曰宋
　　　　音；四曰明音；五曰清音。應神天皇之世，新羅及《論語》、
　　　　《孝經》貢博士王仁。當此之時三韓通吳。……其所傳東晉
　　　　宋齊之音，謂之吳音。推古天皇以下，世世遣使西土，為學
　　　　士而學經藝。其所傳隋唐之音，謂之漢音。……迫宋之南
　　　　渡，我僧千光聖一之徒，學禪於西土，蘭溪明極之流歸化於
　　　　我。其所傳南宋之音，謂之宋音。黃檗僧隱元木菴等投化於
　　　　我，其所傳者明音也。併今長崎譯官所傳之清音為五。雖非
　　　　少無訛謬，五者截然不相合。律之於古音吳音近古，漢音次

之，宋音稍遠，明清之音遂乖古。

以上引文較以韻書發展史的五個時期可知，所謂吳音即指陸法言、孫恆一派的讀音，漢音即為慧琳所謂的秦音，與《韻英》和《考聲切韻》屬於同一系統。而我國（日本）宋音和明音的保存狀況以及學術價值，筆者（武內義雄）尚未調查研究，但可以肯定的是，自吳音至明音，中國各個時代的字音基本上皆以假名的形式保存於我國（日本），是中國既已散佚的音韻學研究的資料，頗為珍貴。試想，如果能夠系統整理這些資料並加以縝密的研究，中國音韻學發展史的脈絡經緯或許會更加清晰，只是筆者（武內義雄）才學淺薄，力有不逮，只能參考我國（日本）古典文獻中記錄的些許漢音和吳音，以及之前的中國字音，試推想陸法言之前的古音。另外，以上關於中國音韻學變遷的諸多記述，基本上都是建立在前輩先賢研究成果的基礎之上，絕非筆者（武內義雄）一家之言。

三、古韻研究

根據上節所述韻書的變遷以及我國（日本）傳承的假名字音等，我們可以研究陸法言以後的音韻變化，但是研究陸法言之前的古音卻頗為困難。

自陸法言《切韻》問世以後，學界奉之為音韻經典。故而唐代大儒顏師古注釋《漢書》時，章懷太子注釋《後漢書》以及李善注釋《文選》時，如果發現漢代詩賦的押韻與陸氏《切韻》有不合之處，即解釋為「叶韻」。所謂「叶韻」即諧韻，改變文字本來的讀音，使文章和諧押韻。宋代吳棫也十分重視「同叶」之說，其著《韻補》中經常出現「冬古同東」、「麻古轉聲通歌」、「江古通

陽或轉入東」等注釋。當時的大儒朱子同樣採用「叶韻說」注釋《詩經》。而明代陳第著作《毛詩古音攷》和《屈宋古音義》，主張所謂「叶音」即為古代原本的讀音，與韻書不合恰恰說明古音與各個時代讀音的不同。陳第可謂是掀開古韻研究端緒的第一人。清代初年，顧炎武撰寫《詩本音》和《易音》，在此基礎上又撰寫《唐韻正》，糾正《廣韻》的讀音，將二百零六韻規劃為十類。可以說，顧炎武開啟了古韻研究的大門。此後，江永又著作《古韻標準》和《四聲切韻》，將顧氏十類韻改為十三部。而自江永門下而出的又有戴震和段玉裁：戴震著有《聲韻考》和《聲類表》，其中不乏創見；段玉裁則著有《六書音均表》，提倡十七部分說。繼戴段二儒之後同時顯現於學界的是王念孫和江晉三：王念孫著有《古音譜二卷》；江晉三則著有《詩經韻讀》、《群經韻讀》、《楚辭韻讀》、《先秦韻讀》、《諧聲表》、《入聲表》、《等韻叢說》、《唐韻四聲正》等。二者皆主張二十一部分說，當然，其間或多或少也存在一定程度的相違之處。總體而言，王念孫和江晉三可謂是古韻部目分類研究的大成者。以下列記二人的部目分類，並在王念孫部目分類之下標註二者之相違：

古韻二十一部表

江氏部分	之一	幽二	宵三	侯四	魚五	歌六	支七	脂八		祭九	元十	文十一	眞十二	耕十三	陽十四	東十五	中十六	蒸十七	侵十八	談十九	葉二十	緝二十一
平	之哈灰尤	尤幽蕭肴豪	宵蕭肴豪	侯虞麻	魚模虞麻	歌戈虞麻支	佳齊支	脂微皆灰齊支			元寒桓山刪僊先	文欣魂痕眞諄	眞臻先諄	耕清青庚	陽唐庚	鍾江東	冬東	蒸登	侵覃咸凡	談鹽添嚴銜咸凡		

	支十七	幽二十	宵二十一	侯十九	魚十八	歌十	支十二	至十一	脂十三	祭十四	元九	諄八	眞七	耕六	陽五	東一	蒸二	侵三	談四	盍十五	緝十六
上	止海賄 ○有	有黝巧皓 ○有巧皓	小篠巧皓 ○篠巧皓	厚麌 ○麌	語姥麌馬 ○麌	哿姥馬紙 ○馬	蟹薺紙 ○薺紙		紙尾駭賄 ○薺紙		阮旱緩潸產獮銑 ○獮銑	吻隱混很軫準 ○軫準	軫銑準 ○準	耿靜迥梗 ○梗	養蕩梗 ○梗	董腫講	拯等	寑感豏范 ○豏范	敢肢忝儼檻鑑范 ○鑑范		
去	志代隊 ○宥	宥幼嘯效號 ○效號	笑嘯效號 ○效號	候遇 ○遇	御暮遇禡 ○遇	箇過禡寘 ○寘	卦薺寘 ○薺寘	□至	至未怪隊 □至暨寘	祭泰夬廢	願翰換諫襇線 □霰	問焮慁恨 □震	震霽稕 □稕	靜勁徑映 ○映	瀋宕映 ○宕映	用絳送 ○送／宋送	證嶝	沁勘陷梵 ○陷梵	闞豔桥釅鑑陷梵 ○陷梵		
入	職德 ○屋	沃屋覺錫 ○屋覺錫	沃藥鐸覺錫 ○覺錫	燭屋覺 ○屋覺	陌藥鐸麥昔 ○鐸麥昔	麥昔錫 ○昔錫		質櫛屑	術物迄沒 □黠	月曷末鎋薛 □黠										葉帖業狎乏 ○盍洽	緝合 ○盍洽
王氏部分	支十七	幽二十	宵二十一	侯十九	魚十八	歌十	支十二	至十一	脂十三	祭十四	元九	諄八	眞七	耕六	陽五	東一	蒸二	侵三	談四	盍十五	緝十六

以上表格中，整理歸納《詩經》、《易》、《楚辭》等先秦古典中韻文的韻腳，並配以《廣韻》韻目。表格中縱向排列的文字，在先秦時代屬於同部韻目，○中文字是指該韻文字中的一半屬於該部，□中文字則指該韻文字中的三分之一屬於該部之下。根據《廣韻》將同韻之下的文字可以分為若干部分，這說明陸法言《切韻》中的字音與古音甚為不同，叶韻之說當然也不能成立。

自顧炎武開始，經過江永、段玉裁，直至王念孫和江晉三的不懈研究，二十一部的劃分方法漸次確定。與此同時，從段玉裁開

始，又出現另一派別的劃分方法，曲阜的孔廣森是代表學者。孔廣森以段玉裁的十七部分說為基礎，將段氏所定的第九部細分為「東」、「冬」兩部，又合併段氏的第十二部真韻和第十三部諄韻為一部，命名為「辰」部，還設立第十八部「合」部，將段氏第七、八兩部中的入聲緝韻和入聲合韻納入此部分中。另外，孔廣森在此基礎之上進而將自身創立的十八部分大別為陰陽兩類，主張陰陽各九部，兩兩對轉。以下表格為孔氏的十八部目：

	一、原類	二、丁類	三、辰類	四、陽類	五、東類	六、冬類	七、侵類	八、蒸類	九、談類
陽聲	元寒桓刪山仙	耕清青	眞臻先文殷魂痕	陽唐庚	東鍾江	冬	侵覃凡	蒸登	談鹽咸銜嚴
段氏	14	11	12 13	10	9	9	7	6	8
陰聲	十、歌類	十一、支類	十二、脂類	十三、魚類	十四、侯類	十五、幽類	十六、宵類	十七、之類	十八、合類
	歌戈麻	支佳	脂微齊灰	魚模	侯虞	幽尤蕭	宵肴豪	之咍	緝合葉盍帖狎洽業乏
段氏	17	16	15	5	4	3	2	1	7、8中的入聲

孔氏十八部分說中，各部的內容未必與段氏一致，所以表格中只列舉平聲韻，我們也不難想像詳細內容。根據以上表格可知，孔氏十八部分說的最大特色在於陰陽二聲之別。《廣韻》的平聲分為五十七韻，如果對照入聲則不難發現，「東冬鍾江眞諄臻文欣元魂痕寒

桓刪山仙陽唐庚耕清青蒸登侵覃談鹽添咸銜嚴」共三十五韻的入聲與之相配，而「支脂之微魚虞模齊佳皆灰咍蕭宵肴豪歌戈麻尤侯幽」的二十二韻中，並沒有與之相配的入聲。但是，這是《廣韻》的配置，先秦時代的古韻卻與之相反，前者的三十五韻沒有相配的入聲，後者的二十二韻則存在與之相配的入聲。依照先秦古韻，屬於沒有入聲的三十五韻的文字為陽聲，而屬於擁有去聲的二十二韻的文字則為陰聲。韻有陰陽之別的觀點始於戴震，戴震認為，陽聲猶如敲擊金屬而發出的聲音，頗為響亮；而陰聲則如同敲擊堅石而發出的聲音，較為沉悶。具體而言，陽聲字的尾音多為 ng、n 或 m，而陰聲字的多為母韻（入聲字的尾音多為 k、t、p），由於前者尾音較為響亮，所以稱之為陽聲，後者尾音較為沉悶，所以稱之為陰聲。以上十八部中分屬陰聲和陽聲部類內的文字大都對應押韻，原類文字和歌類文字押韻，丁類文字和支類文字押韻，以此類推。可見，陽聲九類和陰聲九類是兩兩對轉，相互對轉的陰陽兩聲的母韻相同，不同之處僅僅在於陽聲字尾音附有 ng、n、m 等子音，陰聲則沒有隨附子音。譬如《詩經‧小雅‧隰桑》的「隰桑有阿，其葉有難，既見君子，其樂如何」之中，「阿」、「難」、「何」三字押韻，而「阿」和「何」為歌類文字，「難」則屬於原類韓韻文字。又如《詩經‧小雅‧桑扈》的「之屛之翰，百辟為憲，不戢不難，受福不那」之中的「翰」、「憲」、「難」、「那」四字押韻，前三字屬於原類，「那」為歌類文字。這就是陰陽二聲兩兩對轉的實例。原類文字和歌類文字基本押韻的原因則在於，原類文字的尾音是 an，歌類文字的尾音為 a，a 的發音時而會附帶子音 n，而 an 的發音時而會忽略遺漏子音 n。正如《漢書音義》中如淳所言的「陳宋之俗語，桓聲如何」，《禮記鄭注》中所說的「齊人

言，殷聲如衣」，由於年代和地域的相違，作為韻尾的 n 會發生遺漏，故而形成陰陽二聲兩兩對轉的現象。要之，孔廣森區別陰陽二聲的做法，基本上是受戴震的影響，但十八部分九類的分類方法，以及陰陽二聲兩兩對轉的配置，則是卓越的創見，是中國古韻研究史上不朽的研究業績。

　　孔廣森十八部目陰陽二聲的學說極為縝密細緻，特別是在部目劃分方面，領銜中國音韻學研究領域。而在我國（日本），古韻學家大島正健博士的韻鏡學研究也具有一定的特色。大島先生在折衷王念孫的部目劃分和孔廣森的陰陽二聲說的基礎上，從新規劃韻目，並以鏡韻學為依據，推定古音。

大島正健十部二十一韻表	王念孫	江晉三
一、喉韻類		
第一部　甲、無尾韻意 oi	之十七	之一
第一部　乙、有尾韻應 oing	蒸二	蒸十七
第二部　甲、無尾韻奧 ou	幽二十、宵廿一	幽二、宵三
第二部　乙、有尾韻融 oung	東一、一半、冬	中十六
第三部　甲、無尾韻區 o	侯十九	侯四
第三部　乙、有尾韻翁 ong	東一、一半、東鐘江	東十五
第四部　甲、無尾韻於 o	魚十八	魚五
第四部　乙、有尾韻央 ong	陽五	陽十四
第五部　甲、無尾韻娃 a	支十一	支七
第五部　乙、有尾韻嬰 ang	耕六	耕十三
二、舌韻類		
第六部　甲、無尾韻乙 oi	至十二	脂八去入一部
第六部　乙、有尾韻因 oin	真七	真十二
第七部　甲、無尾韻衣 oe	脂十三	脂八
第七部　乙、有尾韻殷 oen	諄八	文十一
第八部　甲、無尾韻　1、阿 a	歌十	歌六
第八部　甲、無尾韻　2、藹 a	祭十四	祭九
第八部　乙、有尾韻安 an	元九	元十
三、唇韻類		
第九部　甲、無尾韻邑 o	緝十六	緝二十一
第九部　乙、有尾韻音 om	侵三	侵十八
第十部　甲、無尾韻淹 o	盍十五	葉二十
第十部　乙、有尾韻奄 om	談四	談十九

以上表格中所謂的無尾音和有尾音，分別相當於孔氏主張的陰聲和陽聲。各韻之下的「意」、「應」等漢字，是從屬於各韻的文字中選出的無頭音文字，即之上沒有附著字音的文字。漢字之下的羅馬字則是表示大島先生所推定該文字的讀音，也是該部韻的表記方式。此外，筆者（武內義雄）為了便於參照，在大島先生的十部二十一韻表之下又增添了兩段表格，分別列舉王念孫和江晉三的部目，當然，這些部目未必和大島先生各部韻的內容完全吻合，只是筆者（武內義雄）大概而定。

大島先生考訂各韻讀音的方法看似十分繁雜，坦率的說，這些表記符號應該如何正確發音，筆者（武內義雄）也不是很清楚。但是，日本古代文獻中經常根據漢音和吳音表記古音，吳音和漢音大抵是在三韓朝貢之前通過某種途徑傳入我國（日本）的，我們可以根據它去推測中國漢字的古音。

譬如，第一部無尾韻的代表「意」字，吳音和漢音皆讀「イ（i）」，但《古事記》、《日本書紀》以及《萬葉集》中卻都用假名文字「オ（o）」表音，同時，現今和「意」發音相同的「億」和「憶」的讀音皆為「オク（oku）」，所以，可以推測「意」字的古音大概是「オ（o）」。另外，與「意」屬於同一部目的「己」、「能」、「富」三字，在《萬葉集》中的讀音分別是「コ（ko）」、「ノ（no）」、「ホ（ho）」；「止」字在法隆寺釋迦像銘的「止利佛師」中讀為「ト（to）」；《魏志・倭人傳》中「邪馬臺」的「臺」字，讀音為「ト（to）」，這些證據可以充分證明，此部文字的古音皆為「オ（o）」。所以，筆者（武內義雄）推想，此部有尾音的「應」的古音也應該是「オン（ong）」。特別值得一提的是，與「應」屬於同一部目的「興」字，在神名「興臺」

中的發音為「コゴト（kogoto）」；地名「餘綾」中「綾」字的讀音
為「ヨロギ（yorogi）」，也證明此部文字的韻為「ong」。

　　同理，根據第二部文字的吳音可以推測，有尾音文字的韻應該
為「ou」或「au」，無尾音文字的韻應該為「oung」或「aung」；
第三部中有尾音文字的韻是「u」，無尾音文字的韻是「ung」。

　　第四部中「於」字的發音現在通常表記為「オ（o）」，但是
此部的入聲韻卻為「アク（aku）」。另外此部中「盧」字，「末
盧」的讀音為「マツラ（matura）」；此部中「奴」字，「卑奴母
離」的讀音為「ヒナモリ（hinamori）」，據此可以推定此部文字的
韻應該是「ア（a）」。此部有尾韻的「相」字，在「相模」中的讀
音為「サガ（saga）」；「宕」字在「愛宕」中的讀音為「タギ
（tagi）」；「香山」中「香」字的讀音為「カグ（kagu）」，由此
可知，此部有尾韻文字的韻應該為「ang」。

　　第五部無尾韻文字的漢音和吳音皆為「イ（i）」韻，有尾韻文
字的漢音為「エイ（ei）」韻，吳音為「イヤウ（iyau）」韻。同
時，此部入聲韻為「アク（aku）」或「イヤク（iyaku）」，此部中
無尾韻文字與第八部同韻之處頗多。所以，第五部文字的韻大致為
拗聲「ヤア（æ）」或「ヤアン（æng）」。

　　第六部文字大體上取「i」或「in」韻；第七部文字的韻則與
「e」和「en」近似。

　　第八部文字取「a」和「an」韻，這一點是毋庸置疑的。但必
須注意的是，「義、宜、奇、移、離」等屬於該部的文字，後世多
讀為「イ（i）」，這是東漢以後的讀音，古音皆取「ア（a）」韻。
這一點有古代詩韻為證，也有日本古代文獻可以作為證據。譬如，
元興寺丈六背銘中將「蘇我」寫為「巷宜」或「巷奇」。

　　第九部文字多取「u」韻和「um」韻，第十部文字則多取「a」韻和「am」韻。

　　以上論述內容大都以大矢透博士的《周代古音考》和《假名源流考》作為參考和依據，最近飯田利行基於大島博士的十部分說，根據假名研究中國古代音韻，取得了不俗的業績。誠然，由於年代久遠，假名文字表記的漢字讀音也存在不少訛謬，但假名表記的漢字讀音確實有不少與古詩的押韻相符，所以總體而言，我們可以根據假名讀音推測漢字古音。

　　要之，清代古韻研究權興於顧炎武，後為江永所繼承，最後大成於段玉裁。而王念孫和江晉三又承襲段玉裁的學說，完成古韻部目分類，又有孔廣森在繼承段玉裁「十七部分說」的基礎上，進而提出區分陰陽二聲的創見。由此可見，王念孫、江晉三和孔廣森三家的學說皆以段玉裁的音韻學研究作為基礎。實際上，段玉裁是清代文字學大家，在文字學研究方面取得了豐碩的業績。除上述「十七部分說」之外，《古十七部諧聲表》也是段玉裁古韻研究的代表性著作。一直以來，古韻研究者唯奉《廣韻》為金科玉條，而段玉裁在《六書音均表》中，不僅依據《廣韻》確定韻目分類，還提出依據《說文解字》形聲，區別韻目的新方法，補充附加《古十七部諧聲表》。

　　段玉裁認為，許慎在《說文解字》中所注的「某字某聲」，所謂「聲」即為當時的讀音，而《說文》中屬於同一聲的文字在《廣韻》中又分屬若干韻，這說明《廣韻》存在錯誤，根據形聲分類進而劃分韻目，則可以訂正這種錯誤。換言之，段玉裁的主張是依據《說文》的聲區分古韻。孔廣森在《詩聲類》中，不僅依據《廣韻》劃分韻目，同時還列舉每部之下形聲字的偏旁，並註明：「凡

此等形聲字而唐韻誤入他部字皆當改入。」江晉三也撰著《諧聲表一卷》，作為「古韻二十一部分」的補遺。另外，段玉裁的門人江沅則撰著《說文解字音均表》，將《說文》中全部文字編入《古十七部諧聲表》之中。《說文解字》一直以來都被視為字形研究的典型著作，至此又增添了音韻學研究方面的參考價值。此後還陸續出現了嚴可均的《說文聲類》、苗夔的《說文聲讀表》以及張成孫的《說文諧聲譜》，音韻研究漸次脫離《廣韻》，《說文》的「聲」成為論究古韻的最主要依據。《說文諧聲譜》的「跋」有云：

> 諸家皆以《廣韻》標目，其不合者，割裂分之，是取其虛目也。……今之讀二百六部者少矣。求之于古既不合，以示于今則未曉，而徒牽引之，分割之，甚無謂也。故今舉而空之，以詩求韻，佐以易屆。以韻別部，以部類聲，以聲諧《說文》而已。韻書音切概無取焉。

張成孫主張脫離所有韻書，僅依靠《說文》即可正確區分聲類。但筆者（武內義雄）依然堅持認為，《說文》形聲類別和《廣韻》韻目的矛盾之處，恰恰顯現出音韻發展變遷的痕跡。所以，古韻研究中必須並重二者，時常對照比較。

　　嚴可均嘗在《說文諧聲譜》中指出，陽聲各部文字中平聲字十占八九，譬如「蒸」、「冬」二部大都為平聲字，「東」部文字中平聲字占九成。但是，陰聲各部文字中平聲字明顯少於上聲字、去聲字和入聲字。這一點是陰聲字和陽聲字最明顯的不同，也顯示了各自最顯著的特徵。

　　另外，《廣韻》之中陽聲各部中的上聲字、去聲字，和平聲字

重複之處頗多，譬如「東」、「冬」、「鐘」、「江」四韻中共有
上聲字和平聲字各二百五十八個，其中各有一百二十五字同樣出現
於平聲字之中，將近占總數的一半。這種現象似乎說明，收錄於平
聲之內的讀音是六朝以前的古音，而出現於上聲和去聲中的讀音是
六朝時代的新音。

還有，《群經楚辭》的押韻也頗為特色，陽聲各部的上聲字和
去聲字多和平聲字押韻，而陰聲各部中，上聲字、去聲字、平聲字
各自押韻，鮮有平聲字與上聲字、去聲字押韻的情形。

陽聲原本皆為平聲，後世韻書逐漸將不少去聲字納入陽聲之
中。而與陽聲截然相反的是，陰聲各部的平上去入整然分類，大抵
沒有混淆的情形。王國維曾經指出：古來陽聲僅有平聲，陰聲中則
有平上去入四聲，而陽陰二聲又兩兩相互轉換，故而出現陽聲一聲
和陰聲四聲，總計五聲，而李登又將此五聲配以「宮商角徵羽」之
名，成為《聲類》中的「五聲」（《觀堂集林》八「五聲說」）。王國
維的五聲說折衷大島正健的十部說，古音即可分為十部，每部又可
分為陽聲平、陰聲平上去入的五聲。如果將這些內容製作成表，可
謂之「十部五聲表」。

第四節　字　義

大體而言，文字的意義包括兩方面內容：本義和轉義。文字的
構造所表現的意義即為本義，這是《說文解字》一書的中心內容。
而轉義又可分為轉注義和假借義。轉注義是指字義發生變化後衍生
出與本義相近的意義；假借義則指文字被借用為同音的其他文字而
出現的與本義無關的意義。中國漢字基本上通過假借和轉注，使本

義發生轉變，所以總稱為轉義。最早就文字的本義進行解釋說明的辭書是《說文解字》，最早解釋文字轉義的辭書則為《爾雅》，另外還有在《爾雅》基礎之上整理編纂的《廣雅》、《方言》等。我們可以依據《說文解字》，並輔以甲骨金銘學，探究文字的本義，參照《爾雅》、《廣雅》、《方言》等，歸納文字的實際使用範例，考究文字的轉義。

今本《爾雅》由十九篇構成，分別為：釋詁、釋言、釋訓、釋親、釋宮、釋器、釋樂、釋天、釋地、釋丘、釋山、釋水、釋草、釋木、釋蟲、釋魚、釋鳥、釋獸、釋畜。據說，《爾雅》一書原為周公所作，孔子和子夏嘗作補益，之後叔孫通、梁文也做過增補。而朱子則反對此說，主張《爾雅》一書係漢儒採各種經典傳注編纂而成，《四書全書提要》也主張此書為漢代小學家掇輯秦漢舊文，遞相增益而成。《爾雅》十九篇之中的「釋詁」、「釋言」和「釋訓」三篇與文字訓詁相關。恩師內藤湖南先生嘗精密考證這三篇的成立，指出：「釋詁」大抵為成立於戰國初期，距離孔子及門人的時代並不遙遠；「釋言」成立於孟子的時代；「釋訓」開始編寫的年代大體與「釋言」相同，但對它的增補修訂卻一直持續至漢代初年（《研幾小錄》「《爾雅》之研究」）。據先生所言，《爾雅》的訓詁之學歷史悠久，用後世的雅言（標準語）解釋古代文字，使形形色色的古代語言抵近雅言，故而謂之「爾雅」。《廣雅》實際上是《爾雅》的補遺，著者三國時代曹魏的張揖搜集各種書籍的訓釋，對《爾雅》進行增補。《廣雅》在體裁上完全效仿《爾雅》，並特別充實了「釋詁」、「釋言」、「釋訓」三篇的內容。故而，我們對照比較《爾雅》、《廣雅》以及其他古典文獻，大體可以窺知古代至三國時代字義如何自本義發生轉變。

　　《方言》是西漢末年楊雄所著。楊雄按照地域分類《爾雅》中收錄的各種不同語言（異言），並逐一指明是為何處之方言。關於《爾雅》與《方言》兩書之關係，以下引文可以明示：

　　　　弘廓宏溥介純夏幠厖墳嘏丕奕洪誕戎駿假京碩濯訏宇穹王路淫甫景廢壯……將業蓆大也。（《爾雅·釋詁一》）

　　　　敦豐厖溤幠般嘏奘戎將大也，凡物之大貌曰豐。……東齊海岱之間曰溤，或曰幠。宋魯陳衛之間謂之嘏，或曰戎。秦晉之間，凡物壯大謂之嘏，或曰夏。秦晉之間，凡人之大謂之奘，或謂之壯，燕之北鄙，齊楚之郊，或曰京或將。皆古音語也。初別國不相往來之言也，今或同，而舊書雅記，故俗語，不失其方，而後人不知，故為之作釋也。（《方言》一）

可見，《方言》是對《爾雅》中地域方言的解釋說明，特別是第二段引文的結尾部分明確指出楊雄撰著《方言》的動機。《爾雅》中的異言皆為古今之語，古來不同國家和地域鮮有交流，所以各國各地域的言語也有所不同。而自漢代開始，地域國家之間開始往來交流，各地方言也隨之混同，而各類載籍正史所載古代俗語本身就存在著區別，楊雄撰著《方言》一書，正是為了明確這些區別。我們對照《方言》和《爾雅》則不難發現，《爾雅》用某一時代的標準語（雅言）解釋說明不同時代，以及不同地域的語言。另外，晉代郭璞曾經注釋《爾雅》和《方言》，且屢屢依據《方言》註解《爾雅》，同時還考證《爾雅》中收錄的文字於古代經典中的使用範例，並註明出典。郭璞認為，根據文字在古代經典中的使用範例和

出典，可以判斷文字的時代性，根據《方言》的記載，可以判定文字的地域性。

　　《爾雅》中收錄的文字具有一定的時代性和地域性，如對照《說文解字》則不難看出，這些文字在字義方面既已脫離本義發生了一系列的轉變，與先秦時代有所不同。譬如，在《爾雅》中，「壯」、「京」、「景」、「廓」等皆為表示「大」的文字，但對照《說文解字》則能窺知其本義的不同。關於「壯」字的意義，《說文》云：「壯，大也，從爿聲。」可見秦晉地方用「壯」字形容人體格巨大，這是「壯」字的本義。而單純表示「大」的意義，則是由此本義衍生出的轉注義；同樣表示「大」之義的「奘」字和「將」字，則借用了「壯」字的讀音，是為假借義。另外《說文》中對「京」字的解釋為「京，人所為絕高丘也，從高省，象高形。」本義即為「高」。而燕地北部以及齊楚兩地的鄉間則稱體格碩大的人為「京」，這是由「高」之意衍生出的「大」的含義，也是轉注義。「景」字表「大」的意義，則是借用「京」的意義，是為假借。再有，「廓」字本義為表示城郭的象形文字，轉而表示寬廣之意，進而衍生出「大」的意義。所以，《爾雅》中所謂「廓，大也」，實際上是「廓」字的轉注義。此外，「假」、「洪」、「夏」三字皆表「大」之意，其中「假」字古音與「格」相同，而「格」和「廓」又是同音假借。

　　由此可見，文字在實際使用中，假借義和轉注義遠多於本義。對於一般人而言，轉注義尚好判斷和理解，假借義則比較困難，而誤讀曲解古典的原因，大多在於無法找出假借字的本字。譬如，《論語》中有「文莫吾猶人也」一句，朱子主張的讀法為「文，莫吾猶人也」，說明「文莫」是「黽勉」的假借。又如，《孟子》中

有「君子所過者化，所存者神」一句，《爾雅》中明確指出「神，治也」，古來的注釋者卻大都不知「神」字實為「治」字的假借，故而出現各種各樣的曲解。

在解讀古典的過程中，錯誤解釋假借字的含義會引發不少趣事。譬如，《史記·李斯傳》中有「狐疑猶豫，後必有悔」一句，歷來的注釋者大都認為「狐」是多疑的動物，所以稱「懷疑」、「疑惑」為「狐疑」；又認為「猶」是山中膽小的動物，聽到人聲則立即預先上樹躲避，直到確認人類離去才敢從樹上下來，所以稱「不做決斷」為「猶豫」。但是，《禮記·曲禮》卻有云：「卜筮者，先聖王之所以使民決嫌疑定猶與也」，《楚辭·九章》中也記載：「然容與而狐疑」，這說明「狐疑」是「嫌疑」的假借，「猶豫」與「容與」同音。《老子》中所謂「與兮若冬涉川，猶兮若畏四鄰」中的「與兮」和「猶兮」同義，皆形容不做決斷的狀態。另外，「首鼠兩端」也常用於形容欠缺決斷力。《康熙字典》中的解釋是，老鼠生來疑心很重，走出鼠穴之前，總會反復探出腦袋確認外部是否安全，所以常以此語形容一個人缺乏決斷能力。但實際上，「首鼠」是「首施」的假借，「首施」又與「首尾」同義。所以，「首鼠兩端」的本義是指一個人的想法始終不變，與「猶豫不決」沒有任何關係。以上是誤讀文字假借義的實例，在古典的解釋中數不勝數。

王引之在《經義述聞》的「經文假借」一節中，大量羅列誤讀假借字而引發的古典解釋錯誤，數量多達數百條之多，但實際數量遠不止於此。所以，假借字是閱讀古典之際必須注意之處。另外，《爾雅》和《廣雅》中記載不少假借字的用例，是考究假借字本字的重要依據。《爾雅》的注釋書頗多，有晉代郭璞的《爾雅注》和

宋代邢昺的《爾雅義疏》，此外清代學者的注釋更加值得參考，清
儒郝懿行的《爾雅義疏》和邵晉涵的《爾雅正義》是為其代表。而
《廣雅》的注釋書原本只有隋代曹憲的音譯本《博雅音》十卷，清
儒王念孫雖作《廣雅疏證》，但並無些許創見。《方言》的注釋書
原本也只有郭璞的《方言注》，直至清代以後才陸續出現了戴震的
《方言疏證》、王念孫的《方言疏證補》、錢繹的《方言箋疏》以
及郭慶藩的校訂本《合校方言》，精讀這些注釋書是通曉文字轉注
義和假借義的必由之路。與此同時，文字學研究者還必須精通《說
文解字》，具備一定水準的古韻學知識。《說文解字》是探究文字
轉注義的基礎，而古韻學對於研究文字假借義而言又是不可或缺的
學問，此兩者是最為根本的問題。總而言之，《說文解字》和古韻
學是文字學研究的根本，《爾雅》和《廣雅》是文字學研究的門
徑。

第三章　目錄學

第一節　敘　說

　　所謂「目錄學」具有兩重含義：第一指講求目錄作成方法的學問；第二則指依據目錄進行文獻高等批判的學問。前者研究文獻的整理分類以及目錄編纂的方法，即應用於現代圖書館工作中的「目錄學」；而後者則以既成書籍目錄為依據，著眼於古典文本批判，是應用於中國學研究中的「目錄學」。清儒王鳴盛最早強調目錄學在古典研究方面的意義和作用，在名著《十七史商榷》（卷一）中嘗明確指出：

> 目錄之學，學中第一緊要事，必從此問塗，方能得其門而入。然此事非苦學精究，質之良師，未易明也。自宋之晁公武，下迄明焦弱侯一輩人，皆學識未高，未足剖斷古書之真偽是非，辨其本之佳惡，校其訛謬也。

王鳴盛主張目錄學是「學中第一緊要」的學問，依據目錄學可以甄別古典真偽，論斷版本優劣，訂正文本謬誤。換而言之，是將目錄學定義為古典文本批判和校讎方法的學問。由此可見，對於古典研

究而言，目錄學是最重要的學問，所謂「學中第一緊要事」，即指此意。

　　目錄在中國起源久遠，始興於漢代劉向父子，其後各種各樣的目錄不斷問世。這些目錄大體可分為兩種：第一種是純粹的書名目錄；第二種則是附加解題的目錄。前者分類羅列書籍文獻，劉歆的《七略》、《漢書‧藝文志》、《隋書‧經籍志》、《舊唐書‧經籍志》、《新唐書‧藝文志》、《宋史‧藝文志》等正史目錄是為其代表；後者則於各個書名之下附加解說，劉向《別錄》、陳振孫《書錄解題》、晁公武《郡齋讀書志》、馬端臨《文獻通考經籍考》以及《四庫全書總目提要》等是為其代表。我們可以依據前者的分類目錄，探究書籍的內容，也可以依據後者的解說，考察書籍的沿革性質，還可以依據目錄記載的篇數卷數，了解書籍的內容量。除此之外，如果目錄中散在某些書籍的佚文，我們還可以此為依據，推想書籍整體的狀況。如果發現調查目錄得到的信息與現行本有出入，則應該以批判的態度從新審視文本。反之，如果發現現行本中有可疑之處，也可以檢討目錄，找出矛盾所在。這是目錄學的任務之一。另外，如果現行各版本間存在出入，則應該首先檢討目錄，蒐集各種異本，在綜合比較的基礎上，進行文本批判，盡可能校訂出正確的文本，這是目錄學的另外一個任務。總而言之，目錄學是文本批判和校讎的標準和尺度，所以王鳴盛稱之為「學中第一緊要事」。

第二節　正史目錄

一、劉歆《七略》

中國的目錄權興於劉歆《七略》，《漢書・藝文志》中記載《七略》的沿革：

> 昔仲尼沒而微言絕，七十子喪而大義乖。故《春秋》分為五，《詩》分為四，《易》有數家之傳。戰國從衡，真偽分爭，諸子之言紛然淆亂。至秦患之，乃燔滅文章，以愚黔首。漢興，改秦之敗，大收篇籍，廣開獻書之路，迄孝武世，書缺簡脫，禮壞樂崩。聖上喟然而稱曰：「朕甚閔焉。」於是建藏書之策，置寫書之官，下及諸子傳說，皆充秘府。至成帝時，以書頗散亡，使謁者陳農求遺書於天下，詔光祿大夫劉向校經傳諸子詩賦，步兵校尉任宏校兵書，太史令尹咸校術數，侍醫李柱國校方技。每一書已，向輒條其篇目，撮其指意，錄而奏之。回向卒，哀帝復使向子侍中奉車都尉歆卒父業。歆於是總群書而奏其《七略》，故有〈輯略〉，有〈六藝略〉，有〈諸子略〉，有〈詩賦略〉，有〈兵書略〉，有〈術數略〉，有〈方技略〉。今刪其要，以備篇輯。

據《漢書・藝文志》的記載可知，漢代帝王鑒於秦代的失敗而謀圖文化領域的復興，漢惠帝（BC191）時既已廢除「禁挾書」之令，武帝元碩元年（BC124）下詔廣蒐群書，其間內置延閣廣內秘

室，外設太史博士，據說百年之間積書如山。至成帝河平三年（BC26），又命謁者陳農廣求天下遺書，並由光祿大夫劉向擔當整理校核。劉向自身擔當經傳諸子部分，任宏整理兵書，太史令尹咸整理術數，侍醫李柱國負責醫書，四人精誠一致，對漢代的文化復興事業做出了貢獻。書籍一經校訂，劉向即撰寫解題，隨後才能上奏朝廷。遺憾的是，哀帝時，劉向不幸中途病死，未能親手完成文化復興的大業。於是哀帝則改命劉向之子劉歆繼續父業，從事書籍的整理校核工作。最終劉歆完成群書的整理彙編，並撰寫總目錄《七略》。所謂「七略」是指「輯略」、「六藝略」、「諸子略」、「詩賦略」、「兵書略」、「方技略」以及「術數略」的七種分類。《七略》實為中國最早的目錄，據說完成於漢哀帝年間，哀帝在位期間為公元前六年至公元元年，所以此書必定問世於公元前末期。另外，《隋志》、《唐志》之中皆著錄《七略》，說明此書至少傳承至唐代，而此後的圖書目錄中沒有任何關於此書的著錄，想必佚亡於五代之亂。雖然《七略》不傳於今，但《漢書·藝文志》中卻摘錄了此書的概要，我們可以依據《漢志》推想《七略》的概略。

二、《漢書·藝文志》

中國是朝代交替頻繁的國家，每次政權更迭之後，作為慣例，新朝都會整理編纂前朝歷史，這種史書稱為「正史」。司馬遷的《史記》是中國最早的正史，之後班固的《漢書》、范曄的《後漢書》、陳壽的《三國志》，乃至最近的《清史》皆為正史，凡二十六部。《漢書》、《隋書》、《舊唐書》、《新唐書》、《宋史》和《明史》六部正史之中都設有「藝文志」或「經籍志」，相當於

當時現存書籍的總目錄，我們稱之為「正史目錄」。《漢書・藝文志》即為中國最早的正史目錄。

　　據《漢書・藝文志》序文記載，此書採劉歆《七略》之大要編纂而成。即便如此，撰者班固或多或少也加入自身的考慮和見解，並非完全承襲《七略》。具體而言，「輯略」是《七略》的開篇，主要論述各類別的要旨。而在《漢書・藝文志》卻刪除「輯略」，保留其餘六略。（另有一說，今本《漢書・藝文志》每略各類之下論述分類之意義的部分大致相當於「輯略」，班固將《七略》的「輯略」分割配置於每略每類之下。）不僅如此，班固還對《七略》的內容進行諸多改訂。譬如，《七略・六藝略・禮類》以及「諸子略」、「兵書略」的末尾皆附加說明：

　　　凡禮十三家五百五十篇（入司馬法一家百五十五篇）
　　　凡諸子百八十九家千三百二十四篇（出蹴鞠一家二十五篇）
　　　凡兵書五十三家七百九十篇，圖四十三卷（省十家二百七十一篇，重入蹴鞠一家二十五篇，出司馬法百五十五篇入禮也）

很明顯，班固基於劉歆《七略》，將原本編入兵書類的司馬法百五十五篇改編入禮家，將原本編入諸子類的蹴鞠二十五篇改編入兵家。但是，在改訂《七略》之際，班固未必逐一註明理由，所以沒有「省略出入」註記之處即為《七略》之原貌。大體而言，依據《漢書・藝文志》的註記基本上可以復原《七略》。故而可以說，《漢書・藝文志》不僅是中國最早的正史目錄，還保存傳承中國目錄學的權輿之作——劉歆《七略》，是古來學者研究目錄學的基本參考資料，具有很高的學術價值。以下列舉關於《漢書・藝文志》

的重要論考：

《漢書藝文志攷證》　宋，王應麟撰

《通志校讐略》　宋，鄭樵撰

《校讐通義》　清，章學誠撰

《漢書藝文志條理》八卷、《拾補》八卷　清，姚振宗撰

《漢書藝文志舉例》一卷　孫德謙撰 (原文未寫年代)

《劉向校讐學纂微》一卷　同上

《漢書藝文志講疏》一卷　民國，顧實撰

《漢書藝文志姚氏學》七卷　民國，姚明煇撰

三、《隋書·經籍志》

　　繼《漢書·藝文志》之後問世的正史目錄是《隋書·經籍志》。《漢書》與《隋書》間隔六百餘年，其間也出現過不少書籍目錄。《隋書·經籍志》中對此有所記載：

　　一、《魏中經簿》　魏祕書郎鄭默撰

　　　　後漢末年，文獻典籍多亡於董卓之亂，魏鄭默廣蒐文籍，作成此目錄。

　　二、《晉中經簿卷》十四卷　晉祕書監荀勗撰

　　　　以《魏中經簿》為基礎並加以改訂，最初分為四部。甲部包括六藝與小學；乙部包括古諸子、近世子家以及兵書術數；丙部包括《史記》、舊事、《皇覽簿》以及雜事；丁部包括詩賦、圖讚和汲冢書。

　　三、《晉義熙以來新集目錄》三卷　邱深之撰

　　　　據《隋志》記載，東晉著作郎李充整理中祕藏書，《唐志》也有著錄，但此書是否真的存在，尚無其他依據。

四、《宋秘閣四部書目》四十卷

　　據說此書撰者為謝靈運，成書於元嘉八年，而《宋書》記載此書係殷淳所撰。

五、《王儉四部書目錄》四卷及《七志》七十卷　宋秘書承王儉撰

　　宋元徽元年，王儉撰著《目錄》，又作《七志》。所謂「七志」指經典志、諸子志、文翰志、軍書志、陰陽志、術義志、圖譜志。

六、《齊四部書目》　齊秘書承王亮、監謝朏撰

七、《梁天監六年四部書目錄》四卷　梁任昉、殷鈞撰

八、《七錄》十二卷　梁阮孝緒撰

　　梁代普通中撰，所謂「七錄」指經典錄、紀傳錄、子兵錄、文集錄、技術錄、佛錄、道錄。此目錄不傳於今，然總序記載於《廣弘明集》，《隋志》又屢屢引用此目錄。

九、《陳天嘉中壽安殿四部目錄》四卷、《德教殿四部目錄》四卷、《承香殿五經史記目錄》二卷

十、《隋開元四年四部目錄》　秘書監牛弘撰

　　開皇中秘書監牛弘請表求天下遺書，獻書一卷者，賞絹一匹，於此隋秘閣貯藏甚富，是為此目錄。

十一、《唐武德五年見存目錄》

　　據說，唐取天下，命司農少卿宋遵貴載隋朝圖書於船，泝黃河而送長安。船底逸柱頃顛覆，多失其書，倖存者僅一萬四千四百六十六部，相當於八萬九千六百六十六卷。

據說《隋書・經籍志》去除《武德見存書》中的俗陋書籍，在參考王儉《七志》和阮孝緒《七錄》的基礎上，附加註記。可見，《隋

志》絕非純粹的書籍目錄。雖然其中著錄不少殘本，但這些殘本在兩《唐志》中卻成為完本。如果將《隋志》中的附加註記對照王儉和阮孝緒的記錄，即可以辨明書籍的存佚，這是《隋志》最大，也是唯一的價值所在。《四庫全書提要》（卷四十五）對《隋志》的評價可謂十分貼切：「《經籍志》編次無法……於十志中為最下。然後漢以後之藝文惟藉是以考見源流辨別真偽，亦以小疵不為病也。」所以，對我們而言，《隋志》，特別是其中的註記，是考察文獻存佚的重要資料。另外，以下兩部關於《隋志》的論著較為著名：

　　《隋書經籍志攷證》　　清，章宗源撰
　　《隋書經籍志攷證》　　清，姚振宗撰

章宗源的研究雖然僅限於史部，其考證卻極為精緻縝密，廣蒐逸文增補《隋志》。姚振宗的著作近年來刊行甚廣，筆者雖然僅僅讀過經部部分，也深感著者傾注的心血。

四、《舊唐書‧經籍志》和《新唐書‧藝文志》

　　《舊唐書‧經籍志》和《新唐書‧藝文志》合稱「兩《唐志》」，是繼《隋志》之後問世的正史目錄。唐貞觀年間，令狐德棻、魏徵等相繼官任秘書監，廣蒐文獻典籍。開元七年（719），又由官方主持抄寫公卿士庶各階層的私人藏書，分編成為甲乙丙丁四部，每部各設一庫儲藏，四庫藏書分別以軸、帶、帙、籤的顏色相互區別。據說，經庫藏書由鈿白牙軸、黃帶、紅牙籤裝訂；史庫藏書由鈿青牙軸、縹帶、綠牙籤裝訂；子庫藏書由雕紫檀軸、紫帶、碧牙籤裝訂；集庫藏書則由綠牙軸、朱帶、白牙籤裝訂，可見當時四庫藏書的盛況。開元九年（721），殷踐猷、王愜、韋述、余欽、

母煚整理四庫藏書，撰著《群書四部目錄》二百卷，由元行沖奏獻朝廷，俗稱《開元四部目錄》。據說，其後母煚又歸納總結《群書四部目錄》的內容，著成《古今書錄》四十卷。根據卷帙大小推測，這些書籍目錄大都附有撰著者小傳以及書目解題。但是，在《唐書》中，學者的傳記既已在「本傳」中詳細記載，沒有必要重複記錄，所以刪除撰者小傳和解題，剩餘書名部分，即為現今的《舊唐書·經籍志》。

　　《開元四部目錄》於開元九年編撰完成，所以其中沒有著錄此後問世的書籍，這是《唐書》目錄的一大缺失。而《新唐書·藝文志》恰恰彌補了這一缺憾。蓋開元年間是為唐代文化的鼎盛時期，此時編纂完成的《開元四部目錄》綜括了這一文化鼎盛時期的文籍。其後由於安史之亂，兩京文籍化為烏有。所以唐肅宗廣德二年（764），朝廷下詔再度廣蒐書籍。貞元年間（785-804），唐德宗命秘書監陳啟撰作《貞元御府群書新錄》。唐文宗時（827-840），在鄭覃的不懈努力下，文獻典籍再次堆積如山，據說其數量可充十二庫。然而，唐僖宗時又爆發廣明之亂（880），文獻典籍再度毀於兵焚。雖然唐昭宗力圖復興文化大業，無奈李唐國運已衰，無力回復昔日盛唐之時的文化盛世，《開元四部目錄》之後再無文籍目錄。所以除《開元四部目錄》和母煚《古今書錄》以外，《新唐書·藝文志》中再無著錄其他書籍目錄。那麼，《新唐志》究竟以何為依據收錄開元以後的著作呢？筆者（武內義雄）認為，《唐書·列傳》中記載的著書即為撰寫《新唐志》的依據。《舊唐書·經籍志》是根據《開元四部目錄》編撰而成，而《開元四部目錄》又是著錄開元盛世朝廷秘府藏書的文籍目錄，具有一定的可信性和學術價值。《新唐書·藝文志》則不同，其內容來源於《唐書·列傳》，編撰

者也許並未目睹書籍實物，故而不少書籍都空有其名，並未流傳世間，不可信憑者頗多。但另一方面，《新唐書》的撰者歐陽修，也是之後《崇文總目》的編著者，應該親眼目睹過傳承至宋朝初年的唐代著書，所以《新唐志》也可能是依據確實的文籍編撰而成，同樣具有較高的信憑性和學術價值。故而，兩《唐志》皆有獨特的價值和意義，欲探究唐代藝文，必須對照考究兩者，不可重此輕彼。

最後，筆者（武內義雄）列舉《新唐志・經部》的「舊志」以及附註新補關係的部分，據此可見兩《唐志》的關係：

甲部經錄其類十一，凡著錄四百四十家五百九十七部，不著錄一百十七家

一　　《易》類七十六家八十八部，李鼎祚以下不著錄是一家

二　　《書》類二十五家二十三部，王元感以下不著錄四家

三　　《詩》類二十五家三是一部，許叔牙以下不著錄三家

四　　《禮》類六十九家九十六部，元行沖以下不著錄十六家

五　　《樂》類三十一家三十八部，張文收以下不著錄二十家

六　　《春秋》類六十六家一百部，王玄度以下不著錄二十二家

七　　《孝經》類二十七家三十六部，尹知章以下不著錄六家

八　　《論語》類三十家三十七部，韓愈以下不著錄二家

九　　《讖緯》類二家九部

一〇　《經解》類十九家二十六部，趙英以下不著錄十家

一一　《小學》類六十九家一百三部，徐浩以下不著錄二十三家

所謂「著錄四百四十家五百九十七部」，是指《新唐志》中著錄書目的合計數量，「不著錄一百十七家」即為新補部分。各類之下的

數字是為《新唐志》中的著錄書目總數，減去其下標註的不著錄數，即為《開元四部目錄》的著錄數量。但必須注意的是，其中的著錄部數未必與《舊唐志》完全一致。至於原因，筆者（武內義雄）也不得而知。

五、《宋史・藝文志》

由於五代之亂，宋初存世文籍為數不多，故而太平興國三年（978），宋太宗在乾元殿東側修建崇文院，開始蒐輯文獻典籍。據說，崇文院內東側是昭文書庫，南側是集賢書庫，西側是史館書庫，其中史館書庫共有四庫，昭文、集賢書庫各有一庫，總計六庫，藏書正副八萬卷。仁宗慶曆元年（1041），翰林學士王堯臣、史館檢討王洙、館閣校勘歐陽修根據崇文院藏書撰作目錄，是為《崇文總目》。而來《崇文總目》的卷數說法不一，李燾的《通鑑長編》的記載為六十卷；《中興館閣書目》的記載是六十六卷；江少虞的《皇朝事實類苑》的記載為六十七卷；《文獻通考》中的記載是六十四卷。總之，大體而言應該不少於六十卷。從卷數上看，《崇文總目》絕非純粹的書籍目錄，一定附帶解題。據說宋神宗改崇文院為秘書省，宋徽宗時又將《崇文總目》改稱為《秘書總目》，另外還廣蒐繕寫民間藏書。這一時期可以說是宋代典藏文籍的黃金時代，官方藏書最為完備。《宋史・藝文志・序》中統計宋初至欽宗時代的官方藏書數量：

太祖・太宗・真宗三朝之書	三三二七部	三九一四二卷
仁宗・英宗・兩朝之書	一四七二部	八四四六卷
神宗・哲宗・徽宗・欽宗四朝之書	一九〇六部	二六二八九卷
計	六七〇五部	七三八七七卷

由於靖康之亂，館閣藏書大都毀於兵焚，故而宋高宗遷都臨安後，下令再次蒐集文籍。淳熙四年（1177），敕命陳騤撰作《中興館閣書目》七十卷，寧宗嘉定十三年（1220）又下令為其編纂《續目》。《中興書目》共著錄文籍四萬四千四百八十六卷，《續目》著錄四千九百四十三卷。之後由於南宋國步日趨艱難，再無力整理藝文。《宋史‧藝文志》收錄了上述《崇文總目》、《秘書總目》、《中興館閣書目》及其《續目》的全部著錄，且刪除其中重複部分，總計收錄文籍九千八百一十九部，十一萬九千九百七十二卷。然而，後世《四庫全書總目提要》（卷八十五）卻對《宋志》評價不高：「紕漏顛倒，瑕隙百出，於諸《史》、《志》中最為叢脞。」故而，我們必須同時參考當時頗為興盛的民間藏書家的目錄解題書，探究宋代藝文。

六、《明史‧藝文志》

宋代以後的正史，唯有《明史》專設「藝文」。明代萬曆年間，焦竑受命撰作國史，但僅完成《國史經籍志》六卷。焦竑，字弱侯，上元人，官拜翰林修撰，中國歷史上著名的藏書家。《澹生堂藏書約》有云：「焦太史弱侯，藏書兩樓，五楹俱滿。」然而，後世對其著《國史經籍志》的評價卻不為甚高，《四庫全書總目提要》（卷八十七）激烈批判此書：「其書叢抄舊目無所考核，不論存亡，率爾濫載，古來目錄唯此書最不足取。」至清代初年撰修明史之時，當時的史官倪璨和黃虞稷，最初欲效仿《宋史》網羅前代文獻典籍撰寫「藝文志」，但《明史》最終卻一改舊形，僅收錄明一代之藝文。《四庫全書總目提要》（卷四十六）中對此說明原因：「蓋康熙中戶部侍郎王鴻緒撰《明史稿》三百十卷，惟《帝紀》未

成，餘皆排比粗就，較諸家為詳贍，故因其本而增損成帙也。其間諸《志》，一從舊例，而稍變其例者二：歷史增以圖，以曆生於數，數生算，演算法之句股面線，今密於古，非圖則分刌不明；《藝文志》惟載明人著述，而前史著錄者不載。其例始於宋孝王《關中風俗傳》，劉知幾《史通》又反覆申明，於義為允。唐以來弗能用，今用之也。」即《明史》既然是一朝歷史，所載藝文也應該是明一代的著述。但是，《宋史》中缺錄咸淳之後的著作，《遼史》、《金史》、《元史》中又不設「藝文志」，所以不少學者主張《明史》應該收錄前代文籍，彌補《宋史》之後正史目錄的缺憾。於此方面做出巨大貢獻的正是倪璨和黃虞稷。

倪璨，上元人，於史館任職期間所蒐集的文籍草稿，輾轉歸於盧文弨之手。盧文弨從中抄錄宋、遼、金、元四代書目，撰成〈宋史藝文志補〉一卷和〈補遼金元藝文志〉一卷，後收錄於《羣書拾補》。得益於盧文弨的兩部著作，我們可以考究宋遼金元四代的文獻典籍，同時也能看到倪璨在補錄《明志》方面的功績。

黃虞稷，祖居泉州，由於其父黃居中任國子監丞，故而舉家移居南京。黃虞稷幼時好學，喜蒐文籍，《靜志居詩話》有評：

> 監丞銳意藏書，手自抄撮。仲子虞稷繼之，歲增月益。太倉之米五升，文館之燭一把，曉夜不廢孜孜讐勘。

由此可見黃氏父子於文籍蒐集校讐方面的苦心。據說，其父黃居中私人藏書多達六萬餘卷，而黃虞稷則在此基礎之上有所增益。由於元末動亂，南京傾覆，官方藏書與私人典藏大量散落民間。黃虞稷則竭力蒐輯，故明代藝文大都歸於黃氏一族所有。黃虞稷抄錄家藏

文籍，撰成《千頃堂書目》三十二卷。此書以明代藝文為主分類編次，每類之末另附宋金元三代著述。故而依據此書可以知曉宋代至明代經籍的存佚。此書一直以抄本的形式流傳，所以流布範圍有限，不好購買。晚近才收錄入《適園叢書》，普及學界。

七、正史藝文補闕

　　中國正史中只有《漢書》、《隋書》、《兩唐書》、《宋史》、《明史》之中設有「藝文志」或「經籍志」，其他史書則沒有專門記載藝文的項目，對於文獻研究而言頗為不便。故而清代學者自正史「列傳」中整理抄錄書籍目錄，作為「藝文志」、「經籍志」的補闕。以下是筆者（武內義雄）所知正史藝文補闕性質的著作：

　　一　《補續漢書藝文志》　錢大昕　（《廣雅叢書》）

　　二　《補後漢書藝文志》　侯康　（《廣雅叢書》）

　　三　《補後漢書藝文志》　顧櫰三　（《金陵叢書》）

　　四　《補後漢書藝文志》　侯樸

　　五　《後漢藝文志》　姚振宗

　　六　《補三國藝文志》　侯康　（《廣雅叢書》）

　　七　《三國藝文志》　姚振宗　（《適園叢書》）

　　八　《補晉書藝文志》　丁國鈞　（《廣雅叢書》）

　　九　《補五代史藝文志》　顧櫰三　（《金陵叢書》）

　　一〇　《宋史藝文志補》　倪璨　盧文弨　（《羣書拾補》）

　　一一　《補遼金元三史藝文志》　倪璨　盧文弨　（《羣書拾補》）

　　一二　《元史藝文志》　錢大昕　（《八史經籍志》）

　　一三　《補遼金元藝文志》　金門詔　（《八史經籍志》）

第三節　分　類

一、《七略》的分類

　　分類是否正確合理是為目錄學中最重要的問題之一。宋代鄭樵的《通志·校讎略》（第一）有云：

> 學之不專者，為書之不明也；書之不明者，為類例之不分
> 也。有專門之書，則有專門之學；有專門之學，則有世守之
> 能。人守其學，學守其書，書守其類。人有存沒而學不息，
> 世有變故而書不亡也。以今之書校古之書，百無一存，其故
> 何哉？士卒之亡者，由部伍之法不明也；書籍之亡者，由類
> 例之法不分也。類例分則百家九流各有條理，雖亡而不能亡
> 也。

可見目錄學中分類的重要性。如果分類正確，則沒有必要附加詳細解說。因為編入經部之書必為經書；劃入史部之書必為史書。換言之，只要準確的目錄分錄流傳至今，即使書籍亡佚，我們也可以推測大體內容。所以鄭樵強調目錄分錄的重要性。以下，簡要敘述中國目錄分類的狀況。

　　首先是《七略》的分類。《七略》雖散佚不傳，但《漢書·藝文志》記載其分類方法。《七略》第一部分「輯略」即為全書分類的總論，其餘「六略」則為實際分類，包括：(一)六藝略、(二)諸子略、(三)詩賦略、(四)兵書略、(五)術數略、(六)方技略。此即為《七略》分類的大綱。

　　第一的「六藝略」又細分為以下九類：《易》、《書》、《詩》、《禮》、《樂》、《春秋》、《論語》、《孝經》以及《小學》。其中的《易》、《書》、《詩》、《禮》、《樂》和《春秋》統稱《六經》，是為古來儒家經典，倍受尊崇。《論語》類、《孝經》類闡釋《六經》的思想和精神；《小學》類文籍則是從語言學的角度解釋《六經》。可見「六藝略」雖然實際分為九類，但經典的範圍畢竟不出《六經》，所以謂之「六藝略」。同時，《六經》之學又由周代王官所掌，原本就是官方文獻記錄。清儒章學誠曾經指出（《校讎通義・原道第一》）：《六經》中的《易》保存於太卜；《書》保存於外史；《禮》保存於宗伯；《樂》保存於司樂；《詩》保存於太師；《春秋》則為魯國史官的記錄。而此類王官的文獻記錄正是後世諸子、詩賦、兵書、術數、方技等方面書籍的淵源所在。

　　第二的「諸子略」記錄著權興於周代末年的諸多思想家的文獻。《七略》將這些思想家大別為十類：儒家、道家、陰陽家、法家、名家、墨家、縱橫家、雜家、農家以及小說家，且綜括十家思想指出：

　　　　諸子十家，其可觀者九家而已。皆起於王道既微，諸侯立政，時君世主，好惡殊方，是以九家之術蠭出並作，各引一端，崇其所善，以此馳說，取合諸侯。

繼而分別論究諸子十家的淵源：

　　　　儒家者流，蓋出於司徒之官……

道家者流，蓋出於史官……

陰陽家者流，蓋出於羲和之官……

法家者流，蓋出於理官……

名家者流，蓋出於禮官……

墨家者流，蓋出於清廟之守……

縱橫家者流，蓋出於行人之官……

雜家者流，蓋出於議官……

農家者流，蓋出於農稷之官……

小說家者流，蓋出於稗官……

在劉歆看來，凡周末之思想皆淵源於周代王官。但是，現今學界對此異論頗多，譬如胡適之先生即主張「九流不出於王官」（《胡適文存》卷二）。誠然，儒家思想出於司徒官，道家思想出於史官等觀點，嚴格而言是有待商榷的。但是，我們也可以換一個角度考慮劉歆的主張。周代極盛之時，學問是官吏的特權，無法普及至庶民。而周代末年王政漸衰，庶民階級開始抬頭，爾來王官專掌的學問亦隨之為諸子繼承，最終諸子十家各立一家之言。其中，儒家的教育主義和司徒之官相似，道家觀歷史之興衰而教諭門人的方法則與史官的職掌相近。如此看來，諸子十家皆可以說淵源於周代王官。

　　第三的「詩賦略」共包含五類二十八家：(一)屈原賦以下二十家、(二)陸賈賦以下二十一家、(三)孫卿賦以下二十五家、(四)雜賦十二家、(五)詩歌二十八家。其中前三類究竟有何分別，筆者（武內義雄）不得而知。所謂「賦」即為不歌而誦之意，昔日諸侯卿大夫與鄰國外交之際，經常以賦詩的形式表達所想。春秋以後，此種形式逐漸消亡，而布衣賢士的賦卻漸次興盛。詩賦大抵繼承了

《詩三百篇》的衣鉢，可以說是「六藝」的餘韻。

　　第四的「兵書略」共分為四類：(一)兵權謀、(二)兵形勢、(三)陰陽、(四)兵技巧。劉歆在此部分的最後附註：「兵家者，蓋出古司馬之職，王官之武備也。」可見，兵書亦淵源於王官。

　　第五的「術數略」共包括六類：(一)天文、(二)曆譜、(三)五行、(四)蓍龜、(五)雜占、(六)形法。此部分最後附記：「術數者，皆明堂羲和史卜之職也。」可見，術數也是由王官分支演化而出的末流。據說，堯舜之時，天文曆法由羲和職掌，周代興盛之時，又由史卜掌管，春秋時期，魯國梓慎、鄭國裨竈、晉國卜偃以及宋國子韋皆精通天文曆法。可見曾經由羲和與史卜專職的術數此時既已流入民間。

　　第六的「方技略」共分為六類：(一)醫經、(二)經方、(三)房中、(四)神仙，基本上是醫學技術方面的文獻。《七略》中稱「方技」為「王官之一守」。

　　要而言之，「六藝略」主要是代表周室隆盛時期文化的文獻，大都是王官之學，其餘「五略」則說明，隨著周室衰微，學問開始向庶民階層普及，思想方面有諸子十家的著述，文學方面有布衣賢人的詩賦，技術方面則出現諸侯兵書、民間天文雜卜、醫術以及神仙術。可見，《七略》的分類體系整然有序，囊括了當時各方面的文化諸相。故而班固的《漢書‧藝文志》同樣沿襲了劉歆的分類方法。

二、王儉《七志》的分類

　　南朝（宋）王儉撰作《七志》，在分類方法方面較班固《漢志》有些許改變。所謂《七志》是指：

一　經典志──六藝、小學、史記、雜傳

二　諸子志──古今諸子

三　文翰志──詩賦

四　軍書志──兵書

五　陰陽志──陰陽圖緯

六　術藝志──方技

七　圖譜志──地域及圖書

　附　道

　　　佛

雖然第一項至第六項的名稱不同於《漢志》前「六略」，實際內容則大體無異。《七志》分類的特異之處在於為地域圖書專設一志，以及最後附載佛教道教典籍。圖譜在形式上與一般文籍不同，故而單設一志記載。而《七志》最後附錄佛道兩教的典籍則說明當時社會思想界的新變化──佛學隆興，佛經翻譯盛行以及道教的抬頭。

三、阮孝緒《七錄》的分類

南朝（梁）阮孝緒於普通年間（520-526）著作《七錄》七十二卷。所謂《七錄》是指：

內篇

　一　經典錄──六藝

　二　記傳錄──史傳

　三　子兵錄──子書兵書

　四　文集錄──詩賦

　五　術伎錄──數術

外篇

　　六　佛法錄

　　七　仙道錄

與《漢志》、《七志》相比，《七錄》的分類頗為不同。首先，內篇之中「記傳」與「經典」各自獨立成章，諸子與兵書合併為「子兵錄」，刪除「方技略」，佛道兩教文籍則著錄於外篇。蓋《漢志》和《七志》之中，歷史傳記文獻大都附載於「六藝」中的《春秋》，而時至南北朝時代，史書數量大幅增加，再不能附載於《春秋》之下，故而專門設立「記傳錄」。其次，《漢志》將「諸子略」和「兵書略」截然區分，「諸子略」著錄思想方面的文獻，其中包括的兵法思想則歸於道家或儒家，「兵書略」則著錄技術方面的資料，且僅著錄關於兵法的文獻，不包含兵法的思想。而《七錄》則混淆理論與技術，將子書和兵書同歸於「子兵錄」。最後，《七錄》中剔除了「方技略」，大概是由於神仙方術方面的文獻大都收錄於「仙道錄」，所以沒有必要另設一錄。總之，《七錄》的分類方法與《七略》迥異，說明當時社會文化出現新變化，各方面文籍也大量問世。

四、《開元群書四部錄》的分類

　　中國古代目錄分類由《七略》發展至《七志》，又由《七志》演變為《七錄》。與此同時，「四部」的分類方法也於其間出現。四部分類法始於晉秘書監荀勖的《中經新簿》，此書的分類為：

　　甲部　六藝及小學等書

　　乙部　古諸子家、近世子家、兵書、兵家、術數

　　丙部　史記、舊事、皇覽簿、雜事

　　丁部　詩賦、圖讚、汲冢書

據說，南朝劉宋元嘉八年謝靈運作《四部目錄》，齊永明年間王亮、謝朏作《四部書目》，梁代任昉、殷鈞作《四部書目錄》，隋煬帝廣蒐文籍藏於東都觀文殿東西兩廂。皆可以證明四部分類方法的廣泛應用。另外，《隋書‧經籍志》折衷荀勗和阮孝緒的分類方法，採用四部分類法的同時，最後附記佛道兩教經典及其歷史。之後問世的《開元群書四部錄》則完全剔除佛教道教典籍，只設四部分類，可以說是純粹的四部分類目錄。此外，《古今書錄》四十卷承襲《開元群書四部錄》，也採用純粹的四部分類法。還有《開元內外經錄》十卷，雖說著錄佛教的《經律論疏》和道教的《經戒符錄》，但同樣採用四部分類法。由此可見，四部分類法確立於唐開元年間，在此之後，中國目錄皆以四部作為分類的方法。以下，筆者（武內義雄）根據《舊唐書‧經籍志》的記載，整理出《開元群書四部錄》的分類：

甲部　經

一　易　紀陰陽變化

二　書　紀帝王之遺範

三　詩　紀興衰之誦嘆

四　禮　紀文物體制

五　樂　紀聲容律度

六　春秋　紀行事之褒貶

七　孝經　紀天經地義

八　論語　紀先聖之微言

九　圖緯　紀六經之讖候

十　經解　紀六經之解釋

十一　詁訓　紀六經之詁訓

十二　小學　紀字體聲韻

乙部　史

一　正史　紀紀傳表志

二　古史　紀編年繫事

三　雜史　紀異體雜紀

四　霸史　紀偽朝國史

五　起居注　紀人君之言動

六　舊事　紀朝廷之政令

七　職官　紀班序品秩

八　儀注　紀吉凶之行事

九　刑法　紀律令格式

十　雜傳　紀先聖人物

十一　地理　紀山川郡國

十二　譜系　紀世族之繼序

十三　略錄　紀史策之條目

丙部　子

一　儒家　紀仁義教化

二　道家　紀清靜無為

三　法家　紀刑法典制

四　名家　紀循名責實

五　墨家　紀強本節用

六　縱橫家　紀辯說詭詐

七　雜家　紀兼敘眾說

八　農家　紀播植種藝

九　小說家　紀芻辭輿誦

　　十　　兵法　紀權謀之制度

　　十一　天文　紀星辰象緯

　　十二　曆數　紀推步氣朔

　　十三　五行　紀卜筮占候

　　十四　醫方　紀藥餌針灸

丁部　　集

　　一　　楚辭　紀騷人之怨刺

　　二　　別集　紀詩賦雜論

　　三　　總集　紀文章事類

以上為《開元群書四部錄》的分類，後世目錄在分類方面雖然有所變化，但基本方針不變，大體承襲四部分類的方法。

五、分類的變遷

　　總體而言，《七略》和《漢志》的分類極為系統合理，以此為依據，可以探知中國周代文化的發展狀況。而《七志》以及《七錄》的分類方法大致與《七略》、《漢志》無異，只不過增錄了佛道兩教經典，反映出當時佛教的傳來與道教的興起。四部分類法則開啟中國目錄分類的新紀元。仔細解讀四部分類目錄則不難發現，「史部」和「集部」中收錄文籍的數量與種類增加明顯，而「子部」著述則無顯著增長。這說明中國中世以後的文化發展大都集中於史學和文學，思想和技術方面則存在很大的欠缺。由此可見，根據目錄分類的變化可以辨章學術的發展趨勢。

　　筆者（武內義雄）在研究中也經常依據目錄分類探究古人對文籍的態度。譬如，《漢書・藝文志・六藝略》中首先羅列《六經》及其注釋書，末尾部分附加《論語》類、《孝經》類、《小學》類。

可見，在當時的學者看來，《論語》、《孝經》、《小學》類文獻是《六經》的解釋。具體而言，《論語》和《孝經》是從精神和思想方面闡釋《六經》，《孝經》每章之下皆引《詩》、《書》作為結論，這種現象在《論語》中更是隨處可見。這說明《論語》、《孝經》的思想根源於《六經》，是由《六經》發展演繹而成。另外，《小學》類文獻則是從語言學的角度訓詁《六經》文字，譬如〈爾雅序〉云：「夫《爾雅》者……六藝之鈐鍵也」，《漢志·六藝略》中也說：「古文讀應《爾雅》」，皆可證明《小學》類文獻是對《六經》文字的釋義。今本《漢志》中《爾雅》歸於《孝經》類，而《漢志》中卻記載：「凡《孝經》十一家」，與收錄總數不合。筆者（武內義雄）認為這種矛盾大概是後世傳抄過程中出現錯誤造成的，《爾雅》原本應該位列《小學》類的最初。要而言之，根據《漢志·六藝略》可知，《小學》是《六經》文字的解釋，而《論語》和《孝經》則是《六經》思想和精神的闡釋。

　　筆者（武內義雄）在研究中還經常依據準確的目錄分類推測佚書的大致內容。譬如，公元前四世紀前後，齊國稷下（今山東臨淄）出現田駢和慎到兩位學者，其著作不傳於今。《莊子·天下》中評價二者的思想特徵：「不顧於慮，不謀於知……齊萬物以為首」。按照《漢志》的分類，田駢歸於道家，慎到歸於法家，這說明田駢基於道家哲學成就萬物齊等的思想，慎到則將田駢的理論思想付諸於政治，主張摒棄選賢任能，唯以法治國才是為政之正道。《荀子·解蔽》中有云：「慎子蔽於法而不知賢」，其下楊倞注曰：「慎子本黃老，歸刑名，多明不尚賢不使能之道」，都證明《漢志》分類的合理性。而我們則可以依據《漢志》的分類推想田駢慎到的思想學說。根據目錄分類推測佚書內容的研究實例還有很多，在此僅舉

此一例。

在《漢志》中，《莞子》八十六篇歸於道家類文獻，而《隋志》則著錄《管子》十九篇，《舊唐志》著錄《管子》十八篇，且兩者皆劃入法家類文獻。今本《管子》凡二十四卷八十六篇，其中十篇內容盡失，僅存篇目，其餘七十六篇中也有不少重複之處，譬如「幼官」和「幼官圖」兩篇，內容完全相同。可見，今本《管子》與原始文本相差甚遠。大概正是由於文本內容的錯亂混淆，才會引起在諸《志》中分類的變化。這不過是筆者（武內義雄）個人的拙見，僅僅用以說明分類變化和文獻內容的關係。

要而言之，依據目錄分類方法，可以辨章學術世運的推移變遷；依據文籍的分類配置，可以考究書籍的內容。此即為目錄學研究方法，以目錄作為甄別文獻真偽的標準是最有效的手段。

第四節　解　題

一、劉向《別錄》

雖然依據目錄分類可以推想書籍的大致內容，但卻極其漠然空洞，缺乏具體性。如果想進一步詳細探究書籍的內容，就必須依據解題書。劉向《別錄》是中國最早的解題書。據《漢志》記載，劉向奉漢成帝敕命典校中秘藏書，每校核一書，即自撰敘錄，列舉條目，論述要旨。之後這些敘錄被整理合一，史稱《七略別錄》。《隋志》和《兩唐志》明確著錄《七略別錄》二十卷，自《宋志》開始，沒有關於此書的任何記載，或亡佚於唐末五代之亂。

雖然劉向《別錄》散佚不傳，但《晏子春秋》、《孫卿新

書》、《管子》、《列子》、《戰國策》的正式文本的開頭或結尾部分中殘留《別錄・敘錄》的遺文，另外唐宋以前的古籍引用《敘錄》佚文者也為數不少。馬國翰、嚴可均、姚振宗等學者嘗廣蒐佚文撰作輯本，其中姚氏輯本問世最晚，卻最為完備。

　　依據姚振宗輯本可知，總和整理《晏子春秋》、《孫卿新書》以及《列子》中的遺文，即可概觀《敘錄》的大體內容。劉向完成書籍校合後，隨即命名為「某某新書」，卷首揭載篇章目次，再撰寫《敘錄》。《敘錄》首先敘述劉向如何蒐集中外異本完成校合，繼而簡要介紹著者傳記，最後則針對書籍內容展開評論。這是《敘錄》的基本形式。用於校勘的「中外異本」實際上是指「中書」和「外書」兩種。所謂「中書」是指中秘藏書，官方文庫典藏。「外書」則指私人藏本。此外，用於校勘的異本還包括太常博士所藏本以及太史官本。但嚴格而言，劉向蒐集的異本並非當今校勘學意義上的異本，彼此之間互不關聯，各自獨立編纂。譬如，劉向校勘《晏子春秋》所用異本有，中書《晏子》十一篇、太史官書五篇、長社校尉參藏本十三篇，以及劉向家藏本一篇，皆為各自獨立編纂的異本。綜合比較異本，刪除其中重複部分，即為《晏子春秋新書》八篇。再如，校合《列子》所用異本包括，中書五篇、太常博士所藏本三篇、太史官書四篇、長社校尉參藏本兩篇，以及劉向家藏本六篇，也都是內容形式各異的版本。剔除其中重複部分，即為《列子新書八篇》。所以，這些所謂的「新書」完全可以稱為「新編晏子」、「新編列子」，與古來各種版本毫無關係。現今我們稱賈誼的著作為「新書」，而《漢志》的著錄僅標註「賈誼」二字。孫詒讓認為，賈誼的著作原本只稱為「賈誼」，劉向校勘本稱為「賈子新書」，後世則一直沿用（《札迻》卷七）。《崇文總目》引

用《別錄》佚文：「《賈子》傳本七十二篇，臣向刪定為五十八篇」。可見，孫詒讓的觀點不無道理。當然，這也證明劉向校書不過是對書籍的改編而已。另外，《儀禮·士冠禮》的《疏》中列記劉向《別錄》著錄《儀禮》的篇目，同時《禮記·樂記》的《正義》也說：「劉向校書得《樂記》二十三篇，著於《別錄》」，之後同樣列記《儀禮》篇目。可見，劉向校勘所得《儀禮》和《樂記》的篇次目錄完全相同，內容也很可能相同。此外，〈論語集解序〉卷首引用的劉向之語大概也是《敘錄》中所著錄的《論語》篇目。

當然，劉向在綜合整理舊本篇目改編成為「新書」的同時，也校定諸本文字，論定正確文本。譬如，劉向校勘本《列子新書·敘錄》有云：

> 中書以「天」為「芳」，「又」為「備」，「先」為「牛」，「章」為「長」，如此類者多。

再如，《漢志·六藝略》也記載：

> 劉向以中古文校歐陽、大小夏侯三家經文，《酒誥》脫簡一，《召誥》脫簡二，率簡而十五字者，脫亦二十五字，簡二十二字者，脫亦二十二字，文字異者七百有餘，脫字數十。

> 劉向以中古文《易經》校施、孟、梁丘經，或脫去「無咎」、「悔亡」。唯費氏經與古文同。

可見劉向在校勘文本字句方面的苦心。如若《別錄》保存完好，堪稱中國古典研究最珍貴的資料。但遺憾的是，此書早已散佚，我們只能依據僅有的資料探究劉向的校勘偉業。同時應該注意的是，對於中國古典研究者而言，必須考究劉向校書以前書籍的原貌。

最後，筆者（武內義雄）列舉研究《別錄》的參考書目：

《劉向別錄輯本》　馬國翰輯（《玉函山房輯佚書》）

《劉向別錄輯本》　嚴可均輯（《全上古三代秦漢三國六朝文》）

《七略別錄佚文》　姚振宗輯

《劉向校讐學纂微》一卷　孫德謙撰

二、《開元群書四部錄》

《唐會要》記載，武德五年（622）秘書監令狐德棻奏請朝廷蒐集書籍，貞觀二年（628）又命魏徵率引學者校訂群書，乾封元年（666）趙仁本奉詔招募儒生刊正繕寫文籍，玄宗開元六年（718），分別在西都長安大明宮光順門外和東都洛陽明福門外設立集賢書院，召集學者，蒐集文獻典籍，並整理成為甲乙丙丁四部，分別收入經史子集四庫，以軸帶帙籤之顏色加以區分。另外，《唐書·儒學傳》記載，開元年間群書整理工作的最初擔當者是馬懷素和褚無量，之後再由元行沖主持，母煚、韋述、余欽三人擔任總纂，殷踐猷和王愜分擔經部，韋述和余欽分擔史部，母煚、劉彥直分擔子部，王灣、劉仲秋分擔集部。開元八年（720）編纂完成《群書四部錄》二百卷。就卷數而言，此書絕非純粹的書籍目錄，必定附錄解題。此書既已散佚不傳，《舊唐書·經籍志》中僅著錄書籍目錄。

《舊唐書·經籍志》另載，母煚綜合歸納《群書四部錄》的要點，撰著《古今書錄》四十卷，共收錄文籍四部四十五家三千六十

部五萬一千八百五十二卷，此外附加《經律論疏》和《經戒符錄》，分別著錄佛教和道教經典，共計兩千五百餘部九千五百卷，母煚另著《開元內外經錄》十卷，記錄翻譯者名氏，歸納經律指歸。另外，《舊唐書‧經籍志》還記載：「煚等四部目及釋道目，並有小序及著撰人姓氏，捲軸繁多，今竝略之」，由此可見，母煚的《古今書錄》亦附錄解題。遺憾的是，此書完全散佚，隻言片語無存。所以，從漢代直至唐代，沒有任何解題書傳承至今。

三、《崇文總目》

由於五代之亂，宋代初期存世文籍不多。太平興國三年（978），為圖文藝之復興，宋太宗於宮城內乾元殿東側建造崇文院，廣蒐文籍。仁宗慶曆元年（1041），又命翰林學士王堯臣、史館檢討王洙以及館閣校勘歐陽修等學者撰著《崇文總目》。關於《崇文總目》的卷數，一說六十卷，一說六十六卷。但無論如何，僅從六十餘卷的卷數而言，此書絕非單純的目錄，必定附註解題。鄭樵的《通志‧校讎略》（第一）有云：

> 古之編書，但標類而已，未嘗注解，其著注者，人之姓名耳。蓋經入經類，何必更言經。史入史類，何必更言史。但隨其凡目，則其書自顯。惟《隋志》於疑晦者則釋之，無疑晦者則以類舉。今《崇文總目》出新意，每書之下必著說焉。據標類自見，何用更為之說。且為之說也已自繁矣，何用一一說焉。至於無說者，或後書與前書不殊者，則強為之說，使人意怠。

可見，《崇文總目》的解題雖然十分詳細，但在鄭樵看來卻是畫蛇添足。另外，晁公武的《郡齋讀書志》和陳振孫的《直齋書錄解題》中著錄《崇文總目》的卷數僅為一卷。蓋南宋以後，在鄭樵影響下，學界刪去其中解題，只保存書目。清初大儒朱彝尊在七十二歲之時，曾經蒐集《歐陽修集·居士集》中記載的《崇文總目》每類序文，和《文獻通考·經籍考》中引用的解題佚文，力圖製作輯本，但最終未能如願。其後，乾隆年間的《四庫全書》從明《永樂大典》中捃拾《崇文總目》「序錄」，在書目之下標記《崇文總目》十二卷。但是，《永樂大典》中保存的解題並非源自《崇文總目》原書，而是來自晁公武的《郡齋讀書志》和陳振孫的《直齋書錄解題》，只還原《崇文總目》解題總量的十之三四，根本無法洞悉全貌。之後又有錢東垣輯本《崇文總目輯釋》五卷及《補遺》一卷問世，收刻於《粵雅堂叢書》之中，但也不是完整精善的輯本。我們依據這些輯本只能大概了解《崇文總目》的解題。所以，傳承至今的宋代解題書，只有晁公武的《郡齋讀書志》、陳振孫的《直齋書錄解題》以及馬端臨的《文獻通考·經籍考》。

四、《文獻通考·經籍考》

繼《崇文總目》之後問世的解題書是晁公武的《郡齋讀書志》。晁公武，字子止，巨鹿人。四川轉運使井憲孟嘗將自家海量藏書贈予晁公武。晁公武逐一精讀品鑒，撰作解題，完成《讀書志》四卷。之後，又為自家藏書撰作解題，謂之《後志》，但不久後散佚，只有《讀書志》流傳至今。淳祐九年（1249），時任袁州守黎安朝發現自家藏書中有不少超出了晁公武《讀書志》的範圍，故命趙希弁撰作解題，完成《附志》一卷，後與《讀書志》一併出

版，史稱《袁州本讀書志》。大約與此同時，衢州守游鈞另主持出版晁公武門人姚應績編著的《蜀本讀書志》，史稱《衢州本讀書志》。故而，晁公武《讀書志》共有兩種版本，其中衢州本二十卷，著錄不少袁州本內沒有著錄的解題。而趙希弁又從衢州本中掇拾袁州本內沒有著錄的解題，認為這些正是晁氏《後志》的主要內容，同時校合兩種文本的異同，作《考異》一卷。所以，《袁州本讀書志》實際包括《原志》四卷、《後志》二卷、《考異》一卷以及《附志》一卷。之後，海寧陳氏再刊袁州本，汪士鍾再刊衢州本，晚近王先謙先生又將兩種文本合併復刻出版。

陳振孫《直齋書錄解題》全書共二十二卷。陳振孫，字伯玉，號直齋。《宋史》並未為其立傳。據說端平三年（1236）任台州知府，淳祐四年（1244）又任國子司業，可見能力不凡。陳振孫曾高價贖取鄭樵舊藏本，還購買方氏、林氏、吳氏等著名藏書家的典藏，自家藏本數量高達五萬一千一百八十餘卷，可謂當時屈指可數的藏書名家。陳振孫效仿晁公武《讀書志》的體例，撰著解題二十二卷，即《直齋書錄解題》。此書自宋代開始一直為學界所珍重，但可惜沒有流傳至清代。據說乾隆《四庫全書》是從《永樂大典》中蒐集佚文，復原此書。現存輯本《直齋書錄解題》有兩個版本：《武英殿聚珍版叢書》本及其復刻本。

馬端臨可謂晁、陳二氏解題的大成者。馬端臨，字貴與，江西平樂人，宋代宰相馬廷鸞之子，曾在咸淳年間高中漕試第一。其父隱退之後，侍父家居。元初年間，任柯山書院院長，後任台州儒學教授。其大著《文獻通考》三百四十八卷，其中《經籍考》七十六卷實為宋代解題的集大成，晁公武、陳振孫二者的解題內容大都囊括其中。《文獻通考·自序》曰：

漢、隋、唐、宋之史，俱有《藝文志》，然《漢志》所載之書，以《隋志》考之，十已亡其六七，以《宋志》考之，隋唐亦復如是，豈亦秦為之厄哉。昌黎公所謂為之也易，則其傳之也不遠，豈不信然。夫書之傳者已鮮，傳而能蓄者加鮮，蓄而能閱者尤加鮮焉。宋皇祐時，命名儒王堯臣等作《崇文總目》，記館閣所儲之書而論列於其下方，然止及經、史，而亦多缺略，子集則但有其名目而已。近世昭德晁氏公武有《讀書記》，直齋陳氏振孫有《書錄解題》，皆聚其家藏之書而評之。今所錄先以四代史志列其目，其存於近世而可考者，則采諸家書目所評，並旁搜史傳、文集、雜說、詩話。凡議論所及，可以紀其著作之本末，考其流傳之真偽，訂其文理之純駁者，則具載焉，俾覽之者如入群玉之府，而閱木天之藏。不特有其書者，稍加研窮，即可以洞究旨趣；雖無其書者，味茲題品，亦可粗窺端倪，蓋殫見洽聞之一也。

依據以上序文，可以推測此書的概略。可以說，唐宋兩代的解題基本上彙編於此書，大成於馬端臨。雖說清代出現《續文獻通考》和《皇朝通考》，但不過是對馬氏解題的踏襲而已。只有乾隆年間的《四庫全書總目提要》才能與《文獻通考・經籍考》相提並論。

五、《四庫全書總目提要》

乾隆三十七年（1772），清高宗敕命內閣蒐輯文獻典籍，翌年設立四庫館，廣招天下飽學之士整理校定文籍。各省巡撫在轄地內廣蒐文籍，進獻四庫館，地方藏書家也爭相進獻自家典藏珍本。其

中，浙江的鮑士恭、范懋柱、汪啟淑，以及兩淮的馬裕等人各獻書
四百餘卷，受朝廷嘉獎，賞賜內府編纂《古今圖書集成》。江蘇的
周厚堉、蔣曾瑩，浙江的吳玉墀、孫仰曾、汪汝瑮等人各獻書百種
以上，受朝廷嘉獎，賞賜內府初印《佩文韻府》（《辨理四庫全書歷
次聖諭》）。由於社會各界的大力支持，短期之內，四庫館內書籍
既已堆積如山。這些書籍又被大別為「存書」、「存目」兩類。具
有較高學術價值的書籍謂之「存書」，經校訂整理後，按照固定形
式抄寫，並附註解題，編入《四庫全書》。而「存目」則指學術價
值相對較低的書籍，雖撰作解題，但只將目錄編入《四庫全書》。
同時，「存書」、「存目」的解題又整合成為《四庫全書總目提
要》二百卷。這些解題皆為各方面專家學者起稿撰寫，再由總纂官
紀昀統一修正，可謂「考據經審，文章典雅、簡繁得要、古今第一
等之名解題。」《四庫全書總目提要‧凡例》有云：

> 劉向校理秘文，每書具奏，曾輩刊定官本，亦各制序文。然
> 輩好借題抒議，往往冗長，而本書之始末源流轉從疎略。王
> 堯臣《崇文總目》，晁公武《郡齋讀書志》，陳振孫《書錄
> 解題》，稍具崖略，亦未詳明。馬端臨《經籍考》薈粹群
> 言，較為賅博，而兼收並列，未能貫串折衷。今於所列諸
> 書，各撰為提要，分之則散弁諸編，合之則共為總目，每書
> 先列作者之爵里以論世知人，次考本書之得失，權眾說之異
> 同，以及文字增刪，篇帙分合，皆詳為訂辨，巨細不遺。而
> 人品學術之醇疵，國紀朝章之法戒，亦未嘗不各昭彰癉用，
> 著勸懲其體例，悉承聖斷，亦古來之所未有也。

一方面說明撰作動機，另一方面明確指出馬端臨《文獻通考·經籍考》與《四庫全書總目提要》的不同之處：前者集晁、陳等諸家解題之大成；後者則品鑒諸甄選家之說，成就一家之言。換言之，《文獻通考·經籍考》雖然包羅甚廣，但始終未能建立統一的觀點和學說，無論是參考價值還是學術意義，皆較《四庫全書總目提要》遜色一籌。《四庫全書總目提要》可以說為研究者指引著正確的研究方向。

　　要而言之，劉向《別錄》、馬端臨《文獻通考·經籍考》以及《四庫全書總目提要》是中國最具代表性的目錄解題書。《文獻通考·經籍考》包羅甚廣，內容豐富詳實，但是缺乏統一性，學術根底較弱。與此相反，《四庫全書總目提要》則在批判甄別諸家解題的基礎之上，成就一家之言，且對諸家目錄解題的批判頗為公正，所以可以作為現今文獻研究的重要參考。但另一方面，《四庫全書總目提要》也存在缺憾，用於批判的基礎文獻皆為當時存世之物，故而無法考究漢代之前文籍的舊貌。只有依據劉向《別錄》才能彌補這一缺憾。劉向《別錄》既已佚亡，數篇殘存至今的《別錄·敘錄》，不過說明劉向校勘書籍的態度。但筆者（武內義雄）依然認為，自《別錄·敘錄》入手，玩味劉向校書的態度，是古典文獻批判的必經之途。

　　《四庫全書總目提要》雖然極具學術價值，但總計二百卷的篇幅畢竟過於龐大，不便查閱。故而，乾隆三十九年，四庫館奉上諭又編撰《四庫全書簡明目錄》二十卷，要約《四庫全書總目提要》中的解題。道光咸豐年間，學者邵懿辰撰著《四庫全書簡明目錄標註》二十卷，於《四庫全書簡明目錄》的欄外附註文籍的不同版本，並且論定優劣。其後，莫友芝又撰著《邵亭知見傳本書目》十

六卷，卷首記載，其子莫繩孫整理亡父手稿，編成此書。不過內容則與邵懿辰之書大同小異，當然其中也不乏莫友芝自身的見解。總而言之，依據《四庫全書簡明目錄》可以甄選書籍，根據《四庫全書簡明目錄標註》以及《邵亭知見傳本書目》可以甄別書籍的版本，這是中國學研究的第一扇大門。

四庫全書館於乾隆四十八年關閉，但是尚未完成的著作，以及之後問世的著作皆未編入《四庫全書總目提要》和《四庫全書簡明目錄》。之後，學者阮元繼續效仿《四庫全書總目提要》體例，為四庫未收之古典撰寫解題，其子阮福則將其整合成為《四庫未收書目提要》五卷，作為阮元遺稿《擘經室集》的「外集」出版刊行。據說，胡玉搢、周雲清嘗撰寫《四庫未收書目提要》的續輯，但筆者（武內義雄）尚未目睹此書。光緒年間，王懿榮奏請重開四庫館，力圖繼續蒐輯彙編文籍，但由於庚子之亂，未能成功。另外，我國（日本）「對中文化事業」的開展過程中，同樣提及蒐輯書籍，撰作解題，但依然未能成功。所以，乾隆以後的著作皆未撰作適當的解題，研究者必須逐一閱讀檢討。

第五節 從鑒藏家目錄到校勘學

中國自古注重藝文，中國人如同喜好收藏古董一般，蒐集典藏舊版古典。故而民間逐漸形成一種風習，藏書家爭相撰作自家典藏目錄，標榜自身藏書的數量和價值。筆者（武內義雄）姑且將此類目錄稱為「鑒藏家目錄」。而正是這些民間藏書家蒐集的各種舊版古籍，促進了中國校勘學的勃興。因此，以下首先敘述鑒藏家的沿革，進而論及校勘學。

一、明末清初的藏書家

　　錢謙益可謂明末清初藏書家中的巨擘,字受之,號牧齋,江蘇虞山人。據說,錢謙益歲早登科,交游滿天下,盡得劉子威、錢功父、楊五川、趙汝師四家典藏文籍,且不惜重金購買古本,典藏書籍之多堪比內府。中年建拂水山房,鑿壁為架,藏書其中。晚年移住紅豆山莊,藏書絳雲樓。順治七年庚寅十月二日,其女與乳媼在絳雲樓嬉戲,不慎燭火落入紙堆引起大火,典藏文籍片刻化為灰燼。《天祿琳瑯書目》中有評:「甲申之亂,古今書史圖籍一大劫也,吾家庚寅之火,江左書史圖籍之一小劫也」(《天祿琳瑯書目・卷二漢書》),可見損失之大。此後,錢謙益又購買趙元度脈望館藏書,贈予錢曾。錢曾是錢謙益族孫錢裔肅之子,喜好蒐輯書籍,得錢謙益贈書之後藏書倍增。其藏書室稱「也是園」,亦稱「述古堂」,故藏書目錄則稱為《也是園藏書目》或《述古堂藏書目》,另外錢曾還為藏書撰作解題書《讀書敏求記》。

　　毛晉是錢謙益門人,字子晉,號潛在或子九,江蘇虞山人。自幼喜好學問書籍,在絳雲樓火災之前,典藏宋元版文籍既已多半歸其所有,個人藏書量高達四萬八千卷。毛晉為妥善保管藏書,建造汲古閣,還主持出版典藏精善之本,世稱「汲古閣本」。之後,毛晉汲古閣藏書與錢曾述古堂藏書大半歸於徐乾學之手,另一部分則為季滄葦所有。

　　徐乾學,字原一,號健菴,康熙庚戌年進士,官至刑部尚書。早年於浙江天一閣抄寫書籍,之後又得錢曾、毛晉所藏。其藏書室稱為「傳是樓」,藏書目錄為《傳是樓宋元版書目》。另外,徐乾學還整理出版典藏精善之本,謂之《傳是樓經解》。之後,納蘭性

德繼續整理傳是樓藏書，最終完成《通志堂經解》。

季振宜，字詵兮，號滄葦，江蘇揚州人，順治丁亥年進士，曾經大量購買述古堂復刻宋元版書籍，又得毛晉藏書，故而典藏繁富，藏書目錄稱為《季滄葦書目》。

傳是樓與季滄葦所藏書籍，後經何焯介紹，大都歸於怡親王府，其餘部分則流入秘府。怡親王為康熙之子，積學好古，博覽經史傳記、通曉諸子百家，私人典藏亦為豐富。據說，乾隆年間修撰《四庫》，民間藏書家爭相獻書之時，怡親王府中藏書並未全部獻出，而且大都是《四庫》未收錄的珍本。雖然此事無法證實，但秘府藏書大都著錄於《天祿琳瑯書目》，據此可以推測一二。

二、《天祿琳瑯書目》

《天祿琳瑯書目》十卷以及《續錄》二十二卷是乾隆四十年編纂的內府藏書目錄。早在乾隆九年，內直諸臣既受命將內府所藏舊本陳列於昭仁殿，稱之為「天祿琳瑯」。此後三十年間，藏書愈多，故命儒臣撰作目錄，謂之《天祿琳瑯書目》。凡收錄書籍皆印有「乾隆御覽之寶」和「天祿琳瑯」，以錦帙保存宋金版本以及影宋抄本，用藍色綈帙保存元代版本，明版書籍則以褐色綈帙保存。《天祿琳瑯書目》不同於其他目錄的特異之處有以下幾點：第一，區分版本年代，按照宋金元明的順序排列，各時代版本之下，再以「四部」分類，這說明《天祿琳瑯書目》撰者對書籍版本的重視；第二，踏襲宋代藏書家尤袤《遂初堂書目》的體例，重複著錄版本精善印刷優良的書籍，凸顯典藏數量之多；第三，書目解題中詳記出版年月、藏家題識和印記，並逐一考證年代和出處，明確書籍的來歷，這是效仿張彥遠《歷代名畫記》「十六論」中論述「第十一

鑒識收藏閱玩」、「第十二跋尾押署」、「公私印記」的體例，說明《天祿琳瑯書目》撰者同等對待書籍和書畫的態度。總而言之，《天祿琳瑯書目》的編纂體例效仿書畫古董目錄，具有一種娛樂性、玩賞性傾向。但書籍畢竟不是古董，而是貴重的研究資料，永遠不能成為賞玩的對象。其後的黃丕烈則一改這種風氣，使藏書家目錄促進校勘學的勃興。

三、黃丕烈

黃丕烈，字紹武，號蕘圃、復翁，江蘇長洲人，自幼喜好讀書，蒐集舊本。初得汲古閣北宋本《陶詩》和南宋本《陶詩注》之時甚為欣喜，故稱居所為「陶陶室」。之後搜訪多年，得宋槧本過百種，故而其居所改名為「百宋一廛」，並整理藏書，著作目錄《百宋一廛書錄》，還拜託好友顧千里作《百宋一廛賦》。《百宋一廛賦》作成後，黃丕烈親自撰寫注釋，說明家藏書籍的由來以及特徵。以下，筆者（武內義雄）自《百宋一廛賦注》中摘錄典藏書名：

一　嚴州本《儀禮鄭氏注》十七卷

二　景德官本《儀禮疏》五十卷

三　殘大字本《周禮鄭氏注秋官》二卷

四　殘大字本《禮記鄭氏注》　　存凡九卷

五　殘相臺岳世本《春秋經傳杜氏集解》　　存十六卷

六　殘小字本《春秋經傳杜氏集解》　　存凡二十三卷

七　又殘中字本　　存凡十八卷

八　監本附音《春秋穀梁傳註疏》二十卷

九　官本《爾雅疏》十卷

一〇 小字本《說文解字》十五卷

一一 殘本《說文繫傳》 存凡十一卷

一二 蜀大字本《史記集解》一百三十卷

一三 景祐二年本《漢書》一百卷

一四 殘本《後漢書》 存《紀》八卷、《志》三卷、《傳》十五卷

一五 殘本《後漢書》 嘉定戊辰蔡琪純父刻

一六 殘本《後漢書》 建安劉元起刊

一七 單行本《吳志》二十卷

一八 殘本劉昫等《唐書》 存凡六十七卷

一九 莆田陳均《皇朝編年備要》三十卷

二〇 殘本《皇朝編年綱目備要》 存凡二十卷

二一 史炤《通鑑釋文》三十卷

二二 陳騤《中興館閣錄》十卷、《續錄》十卷

二三 《孔傳東家雜記》二卷

二四 建安余氏勤有堂本《古列女傳》七卷、《續》一卷

二五 殘本晁公邁《歷代紀年》十卷 缺第一卷

二六 紹興甲寅本朱長文《吳郡圖經續記》三卷

二七 紹定本范成大《吳郡志》五十卷 述古堂舊物

二八 殘本潛說友《咸淳臨安志》 原百卷今存凡八十三卷

二九 錢可則《新定續志》十卷

三〇 剡川姚氏本《戰國策》三十三卷

三一 熙寧本《荀子》二十卷

三二 《新序》十卷

三三 建安虞氏本《道德經》二卷

三四 南宋本《南華真經》十卷

三五　《沖虛至德真經列子張湛處度注》八卷

三六　小字本《淮南鴻烈解》二十一卷

三七　淳熙台州公庫本《顏氏家訓》七卷

三八　小字重雕足本何光遠《鑑誡錄》十卷

三九　岳珂《愧郯錄》十五卷　　其中八至十一凡四卷補鈔

四十　釋文瑩重雕改正《湘山野錄》三卷《續錄》一卷

四一　殘本《揮麈後錄》　　存一二兩卷及三錄全卷

四二　陳道人書籍補刊行本郭若虛《圖畫見聞志》六卷

四三　黃休復《茅亭客話》十卷

四四　李檉《傷寒要旨》二卷

四五　朱端章《衛生家寶產科備要》八卷

四六　殘本重校《正活人書》　　存三卷

四七　殘本張從正《儒門事親》　　存二十一葉

四八　殘本《十便良方》　　存凡十卷

四九　殘本新雕孫真人《千金方》　　存凡二十卷

五〇　殘本《外臺秘要方》　　存目錄及第二十二卷

五一　《陶淵明集》十卷　　汲古閣舊物

五二　元豐三年臨川晏氏本《李太白文集》三十卷　　傳是樓舊物

五三　殘本新刊校訂《集註杜詩》　　存凡五十五葉

五四　《王右丞文集》十卷　　傳是樓舊物

五五　《孟浩然詩集》三卷

五六　殘大字本《昌黎先生文集》　　存凡五卷，傳是樓舊物

　　　殘小字本《昌黎先生文集》　　存一至十凡十卷

　　　又殘小字本　　存第三十九四十兩卷，版本與前本同種

　　　殘本朱文公校《昌黎先生文集》　　存十一至卷末

（以上四種仿錢氏百衲本《史記》欲成一部。）

五七　殘本《白氏文集》　　存凡十七卷，宋景濂舊藏小字宋本

五八　殘本《劉夢得文集》　　存凡四卷

五九　殘本《劉文房文集》　　存凡六卷

六〇　小字本《孟東野詩集》十卷　　傳是樓季滄葦舊藏

六一　殘小字本《陸宣公奏草》　　存二卷，汲古閣舊物

　　　又　　《中書奏議》　　存二卷，汲古閣舊物

六二　殘本《會昌一品制集》　　存十卷

六三　注胡曾《詠史詩》三卷　　季滄葦舊藏

六四　《唐山人詩》一卷、《女郎魚元機詩》一卷、《甲乙
　　　集》十卷、《許丁卯集》二卷

　　　《朱慶餘集》一卷　　臨安書棚本

六五　溫國文正《司馬共文集》八十卷

六六　葉夢得《石林奏議》十五卷

六七　《渭南文集》五十卷　　絳雲樓舊物

六八　殘本新刊《劍南詩稿》　　存凡十卷

六九　史彌寧《友林乙稿》一卷

七〇　殘本《梁溪文集》三十八卷

七一　殘本《伊川擊壤集》　　存凡四卷，季滄葦舊藏

七二　殘本《乖崖先生文集》　　存凡六卷

七三　《西山先生真文忠公文集》五十五卷　　錢牧齋季滄葦舊藏

七四　《鶴山先生大全集》一百十卷

七五　殘本《豫章黃先生文集》　　存凡十七卷

　　　又《外集》　　存凡六卷

七六　殘本《任淵山谷黃先生大全詩注》　　存凡十八卷

七七　殘本王阮《義豐文集》　存凡五十八葉

七八　殘本《侍郎葛公歸愚集》　存凡九卷

七九　殘本《欒城集》　存前集凡八卷後集凡十三卷

八〇　殘本《周益公集》　存凡六十九卷　，相當全書三分之一

八一　《參寥子詩集》十二卷　有徐乾學季滄葦之印記

八二　《北山小集》四十卷

八三　唐庚集《三謝詩》一卷

八四　《竇氏聯珠集》

八五　《才調集》十卷

八六　殘本《唐僧宏秀集》　闕後二卷

八七　殘本《唐百家詩選》　存凡十一卷

八八　殘本《萬首唐人絕句》　存凡三十六卷

八九　《文粹》一百卷　有徐乾學季滄葦之印記

九〇　小字本《聖宋文選》三十二卷　徐乾學印記

九一　朱子《易學啟蒙》上下卷

九二　張先生校正《楊寶學易傳》二十卷

九三　《文中子》十卷　有徐乾學季滄葦印記紅豆之跋

九四　《龍龕手鑒》四卷　上聲一冊汲古閣精鈔補足

九五　《雲莊四六餘話》不分卷

九六　《漢丞相諸葛武侯傳》一卷　文三橋舊物

九七　錢杲之《離騷集傳》一卷　汲古閣舊物

九八　《袁氏通鑑紀事本末撮要》八卷

九九　《詩苑眾芳》

　　　　大字本《王十朋會稽三賦注》不分卷

一〇〇　《李學士新著孫尚書內簡尺牘》十六卷

一〇一　殘本《迂齋先生標註崇古文訣》 存一至八，又十五至末，凡
十四卷

一〇二　《三歷撮要》一卷

一〇三　《米芾硯史》一卷

一〇四　《陳思書小史》十卷

一〇五　《忘憂清樂集》不分卷

一〇六　宋伯仁《梅花喜神譜》不分卷

一〇七　殘本《夷堅支（志）甲‧壬‧癸》 凡二十一卷

一〇八　殘本《類說》 汲古閣舊物

以上一百零八部皆為《百宋一廛賦注》中列舉的宋本文籍，據說之後黃丕烈又蒐集數十種宋本，其中包括《紹興本管子》、《洪氏集驗方》、《秦隱君詩》、《揮塵錄前錄》、殘小字本《三蘇文粹》、殘本《王逸注楚辭》、衛湜《禮記集說》、錢佃本《荀子注》、殘本《資治通鑒》以及李善注《文選》等，由《百宋一廛》一躍成為《皕宋一廛》，隨即又拜託顧千里撰寫「皕宋之頌」。

　　黃丕烈典藏文籍種類數目繁多，頗似一介書籍收藏愛好者。另一方面，則時常以宋本校勘今本，強調宋本的重要性，曾經編印《士禮居叢書》，收錄精心甄選的宋版珍本。可見，黃丕烈不僅是鑒藏家，還是校勘家，為學界貢獻頗豐。乾隆五十八年，偶得單疏本《儀禮》，謂之「奇中之奇，寶中之寶」，隨即又生望蜀之念，四處尋求經注本《禮記》。經過百方尋覓，終於由嘉定王敬銘處購得北宋小字本《儀禮注》。此書雖然未明記出版時間地點，但顧千里依據張淳的《儀禮識誤》，判定為嚴州本。乾道八年，兩浙轉運判官曾逮主持刊行《儀禮鄭注》之時，張淳擔當校正，每校訂一處，必記錄理由依據，後整合成為《儀禮識誤》兩卷。其中引據各

種版本《儀禮》，包括後周廣順三年及顯德六年刊監本、汴京巾箱本、杭州細字本以及嚴州重刊巾箱本。而黃丕烈所持《儀禮注》與嚴州本完全一致。張淳的《儀禮識誤》散佚於清初，一部分佚文散見於朱竹垞的《經義考》，乾隆年間編訂四庫之時，依據《永樂大典》製作《儀禮識誤》輯本，收錄於《武英殿聚珍版叢書》之中。而黃丕烈則於嘉慶二十年重刻此書，並附加《札記》一卷、《續校》一卷，詳記校正緣由。《儀禮》別名「士禮」，黃丕烈命名《士禮居叢書》大概與此有關。

嘉慶二十三年，黃丕烈主持刊行《周禮鄭注》十二卷。其所藏《周禮》僅有「秋官」二冊，而恰巧好友顧抱沖所藏宋小字本《周禮》獨缺「秋官」二本。黃丕烈用明嘉靖本作為底本，以宋本校訂，並附加詳細札記。完成校勘後，《周禮鄭注》也收錄入《士禮居叢書》。

此外，黃丕烈校勘的業績還有很多，嘉慶四、五年之交，校訂完成天聖明道本《國語》二十卷，嘉慶八年，影刻剡川姚氏本《國策》三十三卷。《國語》、《國策》二書皆附加札記，被學界視為最精善的文本。

黃丕烈還曾經以曝書亭宋本校勘《輿地廣記》三十八卷，依據汲古閣影抄本重刻《博物志》十卷，同樣受到學界的好評。去世後，潘祖蔭蒐輯黃丕烈所作題跋，整合成為《士禮居藏書題跋記》六卷，繆荃孫則拾遺增補編纂續篇。題跋之中屢屢言及校勘的方法和要領，可以說，自黃丕烈開始，凡書籍之題跋皆可視為校勘學的指針。總而言之，黃丕烈極為尊崇宋本，甚至自號「佞宋主人」，又得到顧千里等人的大力幫助，所以能超越普通書籍鑒藏家的水準，涉足校勘之學。

四、校勘學

　　顧千里，名廣圻，字千里，江蘇元和人。自幼體弱多病，卻獨好學問，師事江艮庭，承襲惠氏之學。堂兄顧抱沖是當時著名的藏書家，典藏不少宋元版文籍，家學環境造就了顧千里在古籍版本方面的鑒識，成為黃丕烈的好友。《思適齋集》十八卷是顧千里的文集，其中有云：「顧子貧，齋非所能有也；即身之所寓而思寓焉，而『思適』之名亦寓焉。當其坐齋中，陳書積几，居停氏之所藏，同志之所借，以及敝篋之所有，參互鉤稽以致其思，思其孰為不校之誤，孰為誤於校也。思而不得，困於心，衡於慮，皇皇然如索其所失而杳乎無睹。人恒笑其不自適，而非不適也，乃所以求其適也。思而得之，豁然如啟幽室而日月之；舉世之適，誠莫有適於此也。」（卷五，思適寓齋圖自記）可見顧千里在校合書籍方面的功夫與苦心，就其自身而言，為黃丕烈校勘異本，撰作札記是無上快樂之事。當然，顧千里絕非僅為黃丕烈一人校勘，當時孫星衍、胡克家、秦恩復、吳鼐、張敦仁等致力於文籍出版事業的名家，皆延請顧千里擔當書籍校訂。嘗為孫星衍校刻宋本《說文》、《古文苑》、《唐律疏義》，為胡克家校刻《文選》、元本《通鑑》，為秦恩復校刻《楊子法言》，為吳鼐校刻《晏子》、《韓非子》，為張敦仁校刻撫州本《禮記》、嚴州本《儀禮註疏》。以上書籍完成校合後，皆附記考異或校勘記，被學界視為獨一無二的精善文本。實際上，當時正值校勘學隆盛，顧千里正是校勘學者的代表。

　　繼顧千里之後，在校勘學方面做出突出貢獻的是阮元。阮元，字伯元，號雲台，江蘇儀徵人氏，乾隆五十四年進士及第，道光二十九年八十六歲歿。一生歷任山東、浙江督學，浙江、江西、河南

巡撫，兩浙、兩廣總督，為官之處廣興學校，刊行書籍，獎勵學問。阮元任江西巡撫之時，刊行宋本《十三經註疏》，是其在書籍校勘出版方面做出的最偉大貢獻。阮元嘗偶得宋十行本《註疏十一經》，並以此為基礎對校諸本，最終著成《十三經註疏并釋文校勘記》二百四十五卷。胡稷讀罷此書，十分敬服，嘉慶十九年阮元於南昌任江西巡撫之時，要求借閱宋十行本《注釋十一經》，讀後隨即計劃復刻此書，同時阮元門下的盧宣旬也提議復刻此書。阮元自嘉慶二十年年春開始準備出版事宜，計劃在自藏《十一經》的基礎上，加入黃丕烈所藏單疏本《儀禮》和單疏本《爾雅》。嘉慶二十一年，阮元榮升兩廣總督，調離南昌，而胡稷與盧宣旬依然繼續出版工作，直至嘉慶二十二年秋才最終完成。據說共計四百一十六卷，用紙一萬八千張有餘，歷時整整十九個月。《十三經註疏》一經問世，版木即刻收歸南昌府學，由官方統一印刷發行，對學界裨益極大。另一方面，由於重刻過程中阮元突然升遷調動，疏於監督，致使書中出現不少訛誤，為學界詬病，故而再次進行校核。十幾年後終於達到完美精善的程度，學者依據《十三經註疏》可以獲得最值得信憑的註疏本，所以說明末以來書籍典藏家和校勘家的功績是不可磨滅的。

第六節　從校勘家目錄到古典影印

中國古來典藏古籍如同鑒賞古董文玩，經過黃丕烈、顧千里等人的不懈努力，校勘學開始興盛。黃丕烈的題跋和顧千里的札記皆強調校勘的重要性，後世藏書家所撰目錄解題基本上保留了這種風尚與傾向。

一、校勘家目錄

後世典藏家吳騫的《千元十駕》可與黃丕烈《百宋一廛》比肩。吳騫，字槎客，浙江海寧人，與同鄉陳鱣（字仲魚）相交甚厚，一同攻究訓詁之學，且篤好收藏文籍，據說經常傾囊購買高價善本，典藏量高達數萬卷之多。吳騫主持編印的《拜經樓叢書》，雖說不及黃丕烈藏本精善，但其中的陶靖節和謝玄暉文集皆依據宋元舊版校刻，為藝林所尊崇。其子吳壽暘（字虞臣）搜集整理父親的題跋，編著《拜經樓藏書記》五卷，是一部校據精審的目錄解題書，頗具參考價值。此外，吳騫還著有《論語皇疏考證》十卷。《皇侃論語義疏》在中國早已散佚，我國（日本）學者根本遜志校定刊本流傳至中國後，引起學界轟動。吳騫則精心玩味《皇疏》的章句，詳加考證，完成《論語皇疏考證》，但並未正式出版刊行。晚近京都大學教授倉石武四郎博士謄寫此書，贈予學界好友。根據倉石博士的謄寫版可知，吳騫絕非普通的書籍鑒藏家，而是非常出眾的校勘家。

黃丕烈歿後，藏書皆歸長洲汪士鐘（字閬源）所有。汪士鐘的父親汪厚齋雖說也是有名的藏書家，但典藏書籍中卻鮮有珍本。汪士鐘則有幸獲得黃丕烈士禮居藏書，之後又購得周香巖、袁壽階、顧抱沖的珍藏文籍，以至典藏豐富，號稱天下第一。汪士鐘甄選家藏宋本，重刊《孝經疏》、單疏本《儀禮》以及晁公武《郡齋讀書志》，以校勘精確著稱於世。另外，藏書目錄有《藝芸精舍宋元本書目》，收錄入潘祖蔭的《滂喜齋叢書》。

潘祖蔭，字伯寅，號鄭盦，江蘇吳縣人，娶汪士鐘孫女為妻。嘗購買怡親王府舊藏，後又獲得黃丕烈、吳騫的藏書，故而自製藏

書印，謂之「分廛百宋迻架千元」。所著書目有《滂喜齋讀書記》二卷，「滂喜齋」是其藏書室。據說潘祖蔭藏書貴精不貴多，所藏精善之本頗多。

由於義和團作亂，汪士鐘的典藏大都散佚於民間，其中宏篇巨冊大都歸於常熟的瞿鏞之手，短篇零本則歸於聊城楊紹和處，另有一部分出現在上海的書肆，基本上被郁松年購買。

瞿鏞，字子雍，常熟菰里村人氏。其父瞿紹基喜好蒐集圖書，藏書中不乏宋元善本，瞿鏞則繼承父志，致力於搜訪文獻典籍，有幸獲得黃丕烈士禮居舊本。其藏書目錄《鐵琴銅劍樓書目》係葉昌熾撰寫。葉昌熾，字鞠裳，江蘇長洲人，為人簡淡沉靜，精通目錄學，曾經受邀參與編纂瞿鏞的《鐵琴銅劍樓書目》。之後客寓潘祖蔭家，撰作《滂喜齋藏書記》。眾所周知，瞿鏞和潘祖蔭的藏書目錄頗為精審出眾，由此可見葉昌熾的學識。晚年則在烏程劉承幹處校刻書籍，劉承幹主持刊行的解題大都出於葉昌熾之手。

楊紹和之父楊以增也嗜好藏書，嘗大量購買散落於民間的怡親王府典藏，之後又購得一部分汪士鐘藏書，建造海源閣珍藏文籍，據說海源閣藏書多達數十萬卷。楊紹和則整理其父典藏，撰作《海源閣書目》，又選取其中宋元善本，編纂《楹書偶錄》。

上海的郁松年，字萬支，號泰峯，一生篤好藏書，典藏書籍數萬卷。同治初年藏書散落民間，其中一部分被丁日昌持靜齋收藏，大部分則被歸安陸心源珍藏。

陸心源，字剛甫，號潛園，愛好古籍典藏，十數年間蒐集書籍十五萬卷有餘，其中包括二百卷宋槧本。皕宋樓是陸心源的藏書室，「皕」即指二百。另外，撰著《皕宋樓藏書志》和《儀顧堂題跋》，介紹自家珍藏宋元版古籍。之後，陸心源藏書被我國（日

本）嚴崎氏靜嘉堂收藏，嚴崎氏整合《皕宋樓藏書志》與《儀顧堂題跋》，撰著《靜嘉堂藏書志》。

另外，浙江杭州的丁丙也是著名的書籍典藏家，字松生，杭州名門望族出身。太平天國之亂平息後，致力於復興杭州，補闕文瀾閣《四庫全書》，廣蒐古籍，建造八千卷樓藏書。《八千卷樓書目》是其藏書目錄，並為典藏善本撰作解題書《善本書室藏書志》。光緒年間，端方興辦江南圖書館，購買八千卷樓藏書，命繆荃孫監理。大正八年夏，筆者（武內義雄）陪同大阪圖書館已故館長今井貫一先生遊覽南京時，曾參觀江南圖書館，有幸親眼目睹八千卷樓舊藏，至今記憶猶新。繆荃孫，字筱山，晚年自號藝風老人，早年在張之洞門下，代撰《書目問答》，之後受王先謙之邀，進入南菁書院，晚年任江南圖書館館長、京師圖書館館長。繆荃孫深諳目錄之學，著作有《藝風藏書記》八卷以及《續記》八卷。

常熟瞿鏞、聊城楊紹和、歸安陸心源、杭州丁丙，並稱清末四大藏書家，《鐵琴銅劍樓書目》、《楹書偶錄》、《皕宋樓藏書志》、《儀顧堂題跋》以及《善本書室藏書志》是天下善本的總目解題。其中的印記題言，用以說明書籍來歷，列舉文字異同，闡明書籍的學術意義。換言之，依據印記題言即可了解舊版古典的真正價值。於是，學者收藏家紛紛投身古典復刻事業。之後隨著寫真製版法的誕生，越來越多的稀世珍本被一一影印刊行，裨益學界。

二、古典影印

黃丕烈刊行《士禮居叢書》，出版家藏宋本，楊守敬刊行《古逸叢書》，影刻在日期間蒐集的舊抄本和宋元本。這兩部叢書可以說是古書復刻事業的典範，此後各種各樣的古書複寫本相繼問世，

主要有長洲蔣鳳藻的《鐵華館叢書》、貴池劉世珩的《玉海棠影宋元本叢書》、《宜春堂影宋元巾箱本叢書》、南陵徐乃昌的《隨安徐氏叢書》、吳江張鈞衡的《擇是居叢書》、上虞羅振玉的《吉石庵叢書》、《宸翰樓叢書》、以及上海商務印書館刊行的《續古逸叢書》等。其中最具代表性的則是商務印書館出版的《四部叢刊》和《百衲本二十四史》。以下，列舉《四部叢刊》「經部」目錄：

《周易》十卷二冊 涵芬樓藏宋刊本，季滄葦舊物

《尚書》十三卷二冊 劉氏嘉業堂藏宋刊本，繆荃孫舊物

《毛詩》二十四卷四冊 瞿氏鐵琴銅劍樓藏宋巾箱本

《周禮》十二卷六冊 葉氏觀古堂藏明翻宋岳珂本

《儀禮》十七卷五冊 葉氏觀古堂藏明徐氏翻宋刊本

《纂圖互注禮記》二十卷五冊 涵芬樓藏宋刊本

《春秋經傳集解》三十卷六冊 玉田蔣氏藏宋巾箱本季滄葦舊物

《春秋公羊經傳解詁》十二卷三冊 瞿氏鐵琴銅劍樓藏宋建安余氏刊本

《春秋穀梁傳》十二卷二冊 瞿氏鐵琴銅劍樓藏宋建安余氏本

《孝經》一卷一冊 繆氏藝風堂藏影宋抄本，傳是樓舊物

《論語集解》十卷二冊 日本整平刊單跋本

《孟子》十四卷三冊 清內府藏宋刊大字本

《爾雅》三卷一冊 瞿氏鐵琴銅劍樓藏宋刊本

《京氏易傳》三卷一冊 涵芬樓藏明天一閣刊本

《尚書大傳》五卷《敘錄》一卷二冊 涵芬樓藏陳壽祺原刊本

《韓詩外傳》十卷二冊 涵芬樓藏明沈氏野竹齋刊本

《大戴禮記》十三卷二冊 孫氏小祿天藏明袁氏嘉趣堂本

《春秋繁露》十七卷二冊 涵芬樓藏武英殿聚珍版本

《經典釋文》三十卷十二冊 通志堂本別錄諸家校宋札記

《方言》十三卷一冊　傅氏雙鑑樓藏宋刊本，季滄葦舊物

《釋名》八卷一冊　江南圖書館藏明嘉靖翻宋本

《說文解字》三十卷《標目》一卷四冊　日本巖崎氏靜嘉堂藏北宋刊本

《說文繫傳通釋》四十卷八冊　張氏適園藏述古堂影宋抄本

《大廣益會玉篇》三十卷三冊　建德周氏藏元刊本

《廣韻》五卷五冊　張氏涉園藏宋刊巾箱本

以上二十五部書籍中，宋刊本影印版十二部，其餘為宋元版翻本或宋版影寫本，皆可謂稀世珍本，而整部《四部叢刊》中宋元版影印本的數量更為驚人。刊行《四部叢書》實可謂餘澤留芳之舉，對藝林裨益無窮。不僅如此，續輯刊行的《四部叢刊後續編》，也為學界陸續貢獻了不少珍貴的文獻資料，包括由黃丕烈傳承至汪士鐘的單疏本《儀禮》、某氏所藏單疏本《爾雅》、日本圖書寮所藏單疏本《尚書正義》、身延山寶庫中發現的單疏本《禮記正義》等。如此藝林盛世，即使當初校勘出版宋本註疏的阮元恐怕也未曾料想。

另外，從以上經部目錄還能看出，編印《四部叢書》使用的舊版原本大都依據瞿氏鐵琴銅劍樓藏本、江南圖書館藏本以及巖崎氏靜嘉堂藏本，傳是樓和季滄葦的舊藏也經常出現在清代藏書家目錄中。所以，我們將這些舊版原本較以藏書家撰寫的藏書志和題跋記，可以了解書籍的性質及其優劣。一直以來，古刊本的學術價值在於對校他本，判定優劣、訂正訛誤。而首先必須明確的是用於校勘的古刊本自身的性質和優劣，這就要求我們參考藏書志和題跋記。

不僅是古刊本的重刊，復刻刊行舊抄本對學界的貢獻也很大。歐洲學者探險中亞時，發掘出不少研究資料，其中筆者（武內義雄）最感興趣的是敦煌寶庫。敦煌寶庫中出土的文籍皆為唐代抄寫的卷

子本，比宋刊本更加古老，具有極高的學術價值。敦煌出土文獻的去向大致有四：一部分被斯坦因博士帶到大英博物館；一部分被佩里博士帶回巴黎國民圖書館；另外一部分珍藏於北京圖書館；其餘部分散落於民間。已故羅振玉先生曾經用玻璃版影印佩里博士帶走的珍貴文獻，彙編成《鳴沙石室古佚書》、《敦煌古籍叢殘》。我國（日本）已故矢吹慶輝博士攝影大英博物館所藏斯坦因文書中的佛教經典，歸國後由岩波書店編輯成為《鳴沙餘韻》。這兩部出版物震驚了當時的學界。同時學界也注意到，我國（日本）大量保存的唐抄本以及屬於唐抄本血脈的轉寫本的學術價值，足以堪比敦煌古抄卷子本。故而，學界興起蒐輯出版日本古抄本的熱潮，其中最具代表性的有《京都帝國大學文學部舊抄本叢書》和《東方文化學院影印舊抄本》，此外，圖書寮所藏《群書治要》以及前田侯爵保存的《玉燭寶典》也十分著名。另外，我國（日本）的舊抄本與敦煌古抄本相互補闕之處甚多，隸古定本《尚書》殘卷即為典型實例。明治四十二年，筆者（武內義雄）初次目睹敦煌本隸古定本《尚書》「顧命」部分的一張照片，大為感慨。不久又看到羅振玉《敦煌石室佚書》中收錄的《尚書》殘卷，總是遺憾隸古定本《尚書》的殘闕。之後巖崎氏東洋文庫版《尚書》第三卷、第五卷、第十二卷刊行，繼而神田氏容安軒的《尚書》第六卷的影印版出版發行，最近京都大學又出版九條氏典藏的《尚書》第三卷的一部分、以及第四、第八、第十三卷。以上三種出版物紙張背面皆寫有元秘抄，可見三種出版物原本屬於同一軸卷，因而可以補足敦煌本的闕失。之後，巖崎氏靜嘉堂所藏舊內野皓亭翁本也被影印出版，至此，隸古定本《尚書》得以完全復原。之後，東方文化學院京都研究所刊行《尚書正義定本》，廣蒐隸古定本《尚書》的各種版本，對校圖

書寮所藏單疏本、足利學校遺跡圖書館所藏註疏八行本、京都小川氏本田氏所藏註疏十行本等異本，並別添詳細校勘記，可謂現行本《尚書正義》第一書，舊抄本古版本的價值第一次真正得到體現。最近又聽聞京都研究所正在校訂《毛詩註疏》，也許在不久的將來，會誕生更為精善的《十三經註疏》。

第七節 結 論

目錄的作用在於方便整理書籍，其重點則在於分類和解題。以分類和解題作為標準，進行文本批判的學問即為目錄學。

中國目錄分類始於劉歆《七略》，經過王儉《七志》、阮孝緒《七錄》，漸次發展為「四庫」分類法。總體而言，目錄分類代表學問文化的推移變遷。就文本批判而言，根據書籍配屬部類，可以推測書籍內容、地位以及學術價值。我們依據目錄分類，甚至可以推想佚亡書籍的大體內容。這要求我們必須精通中國的目錄分類法。譬如，同樣是「諸子類」，《漢志》與《四庫》各有不同，同樣是收錄文學作品的部類，漢志的「詩賦略」和《四庫》的「集部」也有所不同。當然，中國古來目錄分類法與近代圖書分類法更是相去甚遠。所以，研究《漢志》分類的含義，長久以來都是學界的課題。《漢志》分類首舉「六藝」，包括《易》、《書》、《詩》、《禮》、《樂》、《春秋》。眾所周知，《書》和《春秋》屬於歷史文獻，《詩》屬於文學作品集。但是按照《四庫》分類法，《書》和《春秋》不屬於「史部」，《漢志》中《詩》獨立於「詩賦」之外。這究竟有何意味？章學誠認為（《校讎通義》內篇一），《漢志》的「六藝」原本為周代官方文書，《易》由太卜掌

管，《書》由外史掌管，《禮》為宗伯所掌，《樂》為司樂所掌、《詩》則是太師所掌文書。孔子嘗將這些官方文書作為教科書教授弟子，所謂「述而不作」即指此意。昔日文化盡屬王官掌管，直到周室衰敗庶民抬頭，王官司掌的文化教育才漸次普及庶民。所謂諸子九流之學、兵法術數之技，皆為王官之學流入民間後發生變化的結果。所以，《漢志》附加說明儒家出於司徒之官，而後世《四庫》分類中「經部」的配屬也包含這種歷史意義。

　　《漢志》基於《七略》編纂而成，而《七略》中往往有一人著作出現在兩處的現象。譬如，《漢志》「兵權謀家」按照《七略》的著錄，簡要列記伊尹、太公、管子、荀子、鶡冠子、蘇子、蒯通、陸賈、淮南王九家的著作，但是荀子和陸賈重複出現於「儒家」，伊尹、太公、管子、鶡冠子又一併歸於「道家」，蘇子和蒯通位列「縱橫家」，淮南王則劃入「雜家」。這是因為，兵家文獻由任宏校訂，而儒、道、縱橫等諸子類文獻則由劉向校訂，當然會有所不同。

　　於《諸子略》之外，《漢志》還設立「兵書」、「術數」、「方技」三略，但「諸子略‧道家類」中同樣著錄《太公兵》八十五篇。另外，「諸子略‧陰陽家‧總論」中說明，陰陽家者流出於羲和之官，「術數略‧總論」中也明確說明，術數皆為明堂羲和史卜之職。那麼，「諸子略」中的「兵書」與「術數略」中的「兵書」究竟有何不同？「諸子略」中的「陰陽家」和「術數略」同樣淵源於羲和之職，兩者間有何關係？針對這兩個問題，章學誠做出解釋（《校讎通義》篇三），章學誠主張，諸子明道，而兵書、術數、方技守法傳藝。換言之，諸子以宣揚思想理論為主，而兵書、術數及方技則以傳承技術為主。但是，後世《四庫》分類法則不重

視區分理論和技術，將兵書、術數、方技一併配屬「子部」。這是《漢志》中「諸子」與《四庫》中「諸子」的不同之處。

《漢志》在同一部類內大致按照年代順序列記書籍文獻，當然也有年代顛倒之處。譬如，「墨家類」中，《墨子》七十一篇置於《田俅子》、《我子》、《隨巢子》、《胡非子》之前，而實際上《墨子》應該成書最晚。大概《田俅子》等書首先被發現，故而後世認為成書晚於《墨子》。不僅如此，《漢志》「道家類」中，《黃帝四經》、《黃帝銘》位列《老子》、《莊子》之後，被視為戰國時代的文獻。

《漢志》不僅著錄書籍，還明記書籍的篇數和卷數，用以說明篇幅。一般而言，竹簡的數量以「篇」計算，帛書則以「卷」計算。直到發明紙張，竹簡漸次消亡，統一以「卷」表記書籍的篇幅數量。由於輕便的紙張替代龐大笨重的竹簡，所以《隋志》、《唐志》中記錄書籍的卷數遠遠少於《漢志》中的篇數。

繼《漢志》之後問世的目錄是《隋志》。唐統一天下後，將隋代存世文籍由洛陽運至長安，統一整理成為目錄《隋志》。但是，運送途中船隻不幸傾覆，損失了部分書籍，所以《隋志》的著錄並不完全，而且殘闕本也為數不少。換言之，《隋志》未能完全保存當時存世的文獻典籍。故而章宗遠的《隋書經籍志考證》中出現不少《隋志》並未著錄的文獻，同時還大量徵引《梁錄》、《兩唐志》的著錄，說明《隋志》的學術價值在於銜接《梁錄》和《兩唐志》之間的藝文記錄。

總而言之，依據正史目錄可知書籍存佚，依據分類配屬可以推測書籍內容。如果目錄記載或想像推測與現行本相去甚遠，現行本則有可能是偽書。學界質疑《古文尚書》的真偽，正是因為現行本

篇數與內容不同於《漢志》的記載。

　　雖然依據目錄分類可以推想書籍的大致內容，但卻極其漠然空洞，缺乏具體性。如果想進一步詳細探究書籍內容，則必須依據解題書。現存的解題書有《文獻通考・經籍考》、《四庫全書總目提要》，以及清代藏書家的藏書志等。其中清代藏書家的藏書志基本上是以書籍校勘作為中心內容，並非書籍內容的要約，所以《文獻通考・經籍考》和《四庫全書總目提要》才是我們首先應該依據的解題書。另外，歷代學者的文集中也有不少書籍序跋，極具參考價值。對於漢學研究者而言，根據目錄判斷書籍存佚，依據解題和序跋探究書籍內容，是文本批判和輯佚的前期準備，目錄學可以說是漢學研究的基礎。另一方面，中國從漢代開始整理文籍撰作目錄，而歷代目錄著錄的大都為劉向校書之後的文獻，如果想探究先秦古典的原貌，必須通過其他的途徑。

　　劉向《敘錄》是研究先秦古典舊貌的重要參考，但只有《荀子》、《列子》、《管子》、《晏子》、《戰國策》五篇殘存至今。《敘錄》明確記載，劉向蒐集中書、太常書、太史書以及外書，加以校定。中書即中秘之書，官方藏書，太常書是為太常博士藏書，太史書指史官藏本，外書則指民間藏書家典藏文籍。可見，劉向幾乎蒐集並校定了當時存世的所有書籍，但所謂校定卻有別於後世校勘學意義上的校定。《管子》「敘錄」記載，劉向蒐集中書所藏《管子》三百八十九篇、大中大夫卜圭之書二十七篇、富參之書四十一篇、射聲校尉立之書十一篇、太史書九十六篇、共計五百六十四篇，最後審校刪定為《管子新書》八十六篇。又《列子》「敘錄」記載，劉向蒐集中書藏本《列子新書》五篇、太常書藏本三篇、太史書四篇、長社尉參藏本二篇、劉向家藏本六篇，校除其

中重複，刪定為《列子》八篇。另外，《晏子春秋敘錄》中也記載，劉向蒐集中書藏本十一篇、太史書藏本五篇、劉向家藏一篇、以及臣參藏本十三篇，總計三十篇八百三十八章，經過校除，最後刪定為《晏子新書》八篇二百一十五章。可見，劉向校書之前，個人可以隨意轉寫抄錄書籍，書籍沒有固定形式。通過劉向從新編纂刪定，書籍的形式才趨於固定。所以為區別爾來形式各異的書籍，劉向稱自身校定之書為「某某新書」，為避漢宣帝劉詢之諱，稱審校刪定後的《荀子》為《孫卿新書》。《晏子春秋》「敘錄」很大程度上反映出劉向校書的立場和態度。以下，筆者（武內義雄）列記全文：

《晏子新書》八篇

內篇諫上第一凡二十五章

內篇諫下第二凡二十五章

內篇問上第三凡三十章

內篇問下第四凡三十章

內篇雜上第五凡三十章

內篇雜下第六凡三十章

外篇重而異者第七凡二十七章

外篇不合經術者第八凡十八章。

右（上）《晏子》凡內外八篇，總二百十五章

護左都水使者光祿大夫臣向言：

所校中書《晏子》十一篇，臣向謹與長社尉臣參校讐。太史書五篇，臣向書一篇，參書十三篇，凡中外書三十篇，為八百三十八章。除復重二十二篇，六百三十八章，定著八篇二

百一十五章。外書無有三十六章，中書無有七十一章，中外皆有以相定。中書以「天」為「芳」，「又」為「備」，「先」為「牛」，「章」為「長」，如此類者多，謹頗略揩，皆已定，以殺青，書可繕寫。晏子名嬰，諡平仲，萊人。萊者，今東萊地也。晏子博聞強記，通於古今，事齊靈公、莊公、景公，以節儉力行，盡忠極諫道齊國，君得以正行，百姓得以附親。不用則退耕於野，用則必不詘義，不可脅以邪。白刃雖交胸，終不受崔杼之劫。諫齊君，懸而至，順而刻。及使諸侯，莫能詘其辭。其博通如此。蓋次管仲。內能親親，外能厚賢，居相國之位，受萬鍾之祿，故親戚待其祿而衣食五百餘家，處士待而舉火者亦甚眾。晏子衣苴布之衣，麋鹿之裘，駕敝車疲馬，盡以祿給親戚朋友。齊人以此重之。晏子蓋短，其書六篇，皆忠諫其君。文章可觀，義理可法，皆合六經之義。又有復重，文辭頗異，不敢遺失，復列以為一篇。又有頗不合經術，似非晏子言，疑後世辯士所為者，故亦不敢失，復以為一篇，凡八篇。其六篇可常置旁御觀。謹第錄。臣向昧死上。

以上「敘錄」的標題仿照《荀卿新書》的體例修改，現行本《晏子》「敘錄」中沒有明記篇目，而元刻本以及吳山尊校刻元本則明確著錄篇目。與《荀卿新書》對照則不難發現，《晏子新書》很大程度上保存了《晏子》的原形。據「敘錄」所言，劉向對校三十篇中書、外書，是正文字訛誤，除去重複篇章，刪定內篇六篇，再整合與內篇重複且行文不同的二十七章，以及思想內容不合經術的十八章，確定為外篇二篇，附加於內篇之後，最終形成《晏子》內外

篇八篇。是否重複、是否符合經術，是劉向區別內外篇的兩則標準。而元刻本《晏子》每篇篇首皆列記章目，特別是外篇，各章結尾處，皆闡明劃入外篇的理由，譬如元刻本《晏子》中有：

○《晏子春秋》外篇重而異者第七　凡二十七章

景公飲酒，命晏子去禮，晏子諫第一。末注云：「此章與『公酒酣，願無為禮，晏子諫。』大旨同，但辭有詳略爾，故著於此篇。」

景公置酒泰山西望而泣，晏子諫第二。末注云：「此章與『景公登牛山而悲』、『登公阜睹彗星而感』，旨同而辭少異爾，故著於此篇。」

景公嘗見彗星使人占之，晏子諫第三。末注云：「此章與『景公登公阜見彗星，使禳之，晏子諫』，旨同而此特言『嘗見』為異爾，故著於此篇。」

景公問古而無死其樂若何，晏子諫第四。末注云：「此章與『景公謂梁丘據與己和』，『景公使祝史禳彗星』，皆出於『景公游公阜，一日而有三過言』，但析為章而辭少異，皆著於此篇。」

景公謂梁丘據與己和，晏子諫第五；

景公使祝史禳彗星，晏子諫第六。末注云：「此章與『景公登公阜見彗星』章旨同，故著於此篇。」

景公有疾，梁丘據裔款請誅祝史，晏子諫第七。末注云：「此章與『景公病久，欲誅祝史以謝事』悉旨同，但述辭有首末之異，故著於此篇。」

景公見道殣自慚無德，晏子諫第八。末注云：「此章與『景

公游寒塗不卹死胔』辭如相反，而其旨實同，故著於此篇。」

景公誅斷所愛櫨者，晏子諫第九。末注云：「此章與『景公欲殺犯槐者』、『景公逐得斬竹』，事悉同，但悉辭少異耳，故著於此篇。」

景公坐路寢曰誰將有此，晏子諫第十。末注云：「此章與『景公登路寢而歎』、『景公問後世有齊者』、『叔向問齊國之治何若』，辭旨略同而小異，故著於此篇。」

景公臺成盆成適願和葬其母，晏子諫第十一。末注云：「此章與『逢於何請合葬』，正同而辭少異，故著於此篇。」

景公筑長庲臺，晏子舞而諫第十二。末注云：「此章與『景公為長庲欲美之』、『景公冬起大臺之役』，辭旨同而小異，故著於此篇。」

景公使燭鄒主鳥而亡之，公怒將加誅，晏子諫第十三。末注云：「此章與『景公欲誅野人』、『景公欲殺圉人』章，旨同而辭少異，故著於此篇。」

景公問治國之患，晏子對以佞人讒夫在君側第十四。末注云：「此章與『景公問佞人之事君何如』、『景公問治國何患』，三章大旨同而辭少異，故著於此篇。」

景公問後世孰將踐有齊者，晏子對以田氏第十五。末注云：「此章與『景公坐路寢問誰將有此』、『景公問魯莒孰先亡，因問後世孰有齊國，晉叔向問齊國若何』，三章答旨同而辭異，故著於此篇。」

景公使吳，吳王問君子之行，晏子對以不與亂國俱滅第十六。末注云：「此章與『吳王問可處可去』，事旨既同，但

辭有詳略之異，故著於此篇。」

吳王問齊君侵暴吾子何容焉，晏子對以豈能以道食人第十七。末注云：「此章與『景公問天下之所以存亡』、『魯君問何事回曲之君』，三章或事異而辭同，或旨同而辭異，故著於此篇。」

司馬子期問有不干君不恤民取名者乎，晏子對以不仁也第十八。末注云：「此章與『叔向問徒處之義』章，旨同而有詳略之異，故著於此篇。」

高子問，子事靈公莊公景公，皆敬子，晏子對以一心第十九、末注云：「此章與『梁丘據問，事三君不同心，孔子之齊不見晏子』，旨同而辭少異，故著於此篇。」

晏子再治東阿上計，景公迎賀，晏子辭第二十。末注云：「此章與『晏子再治阿而見信，景公任以國政』章，旨同而述辭少異，故著於此篇。」

太卜紿景公能動地，晏子知其妄，使卜自曉公第二十一。末注云：「此章與『柏常騫禳梟死，將為公請壽，晏子識其妄』章，旨同而辭異，故著於此篇。」

有獻書譖晏子，退耕而國不治，復召晏子第二十二。末注云：「此章與『景公惡故人，晏子退』章，旨同敘事少異，故著於此篇。」

晏子使高糾使治家三年而未嘗弼過逐之第二十三。末注云：「此章與『景公欲見高糾』章，旨同而辭少異，故著於此篇。」

景公稱桓公之對管仲，益晏子邑，辭不受第二十四。末注云：「此章與『景公致千金而晏子固不受，使田無宇致封

邑，晏子辭』章，旨悉同而辭少異，故著於此篇。」

景公使梁丘據致千金之裘，晏子固辭不受第二十五。末注
云：「此章與『景公使梁丘據遺之車馬，三返不受』章，旨
同而事少異，故著於此篇。」

晏子衣鹿裘以朝，景公嗟其貧，晏子稱有飾第二十六。末注
云：「此章與『陳無宇請浮晏子，景公睹晏子之食而嗟其
貧』章，旨同而辭少異，故著於此篇。」

仲尼稱晏子行補三君而不有，果君子也第二十七。末注云：
「此章與『仲尼之齊不見晏子，魯君問何事回曲之君』章，
旨同而述辭少異，故著於此篇。」

○《晏子春秋》外篇不合經術者第八　凡十八章
仲尼見景公，景公欲封之，晏子以為不可第一。末注云：
「此幷下五章，皆詆毀孔子，殊不合經術，故著於此篇。」

景公上路寢，聞哭聲，問梁丘據，晏子對第二。

仲尼見景公，景公曰，先生奚不見寡人乎第三。

仲尼之齊，見景公而不見晏子，子貢致問第四。

景公出田，顧問晏子，若人之眾有孔子乎第五。

仲尼相魯，景公患之，晏子對以勿憂第六。末注云：「此上
五章，皆詆毀孔子，而此章復稱為聖相，設相齊以困孔子，
似非平仲之所宜，故著於此篇。」

景公問，有臣有兄弟而強足恃乎，晏子對不足恃第七。末注
云：「此章與『景公問臣幷兄弟之強，而晏子對以湯桀』，
無以垂訓，故著於此篇。」

景公遊牛山少樂請晏子一願第八。末注云：「此章載晏子之

願如此，無以垂訓，故著於此篇。」

景公為大鐘，晏子與仲尼柏常騫知將毀第九。末注云：「此章與『景公為泰呂成將燕饗，晏子諫』章，旨同而尤近怪，故著於此篇。」

田無宇非晏子有老妻，晏子對以去老謂之亂第十。末注云：「此章與『景公以晏子妻老欲納女』，旨同而事異，陳無宇雖至凡品，亦未應以是誚晏子，設非晏子者，將納其說見棄妻乎，無以垂訓，故著於此篇。」

工女欲入身於晏子，晏子辭不受第十一。末注云：「此章與『犯傷槐之令者女求入晏子家』，事同而辭略，且無因而至，故著於此篇。」

景公欲誅羽人，晏子以為法不宜殺第十二。末注云：「此章不典，無以垂訓，故著於此篇。」

景公謂晏子，東海之中有水而赤，晏子詳對第十三。末注云：「此幷下一章，語類俳而義無所取，故著於此篇。」

景公問，天下有極大極細，燕子對第十四。

莊公圖莒，國人擾紿，以晏子在廼止第十五。末注云：「此章特以晏子而紿國人，故著於此篇。」

晏子死，景公馳往哭哀畢而去第十六。末注云：「此幷下二章，皆晏子歿後景公追懷之言，故著於此篇。」

晏子死，景公哭之，稱莫復陳告吾過第十七。

晏子歿左右諛，弦章諫，景公賜之魚第十八。

以上章目和注文引自元刻本，明活字本中也有大致相同的記錄，其他版本則無。筆者（武內義雄）所引既已有所省略，原文更加駁雜冗

長，可見劉向在校書方面的苦心。另外，劉向所謂的「校定」，實
際上是編纂，經過劉向的新編，先秦古典皆面貌一新。譬如，《史
記》記載，慎到著作凡十二論，環淵著作分上下篇（「孟子荀卿列
傳」），《漢志》則著錄有《慎子》四十二篇，《蜎子》十三篇，
「蜎子」即「環子」。《史記》記載申子著作有兩篇（「老莊申韓列
傳」），孫武著作有十三篇（「孫子吳起列傳」），而《漢志》則著錄
《申子》六篇，《吳孫子兵法》八十二篇、《圖》九卷。劉向《別
錄》記載佚文：「申子，僅民間所有上下篇，中書六篇」，所以司
馬遷所說的《申子》應該是民間流布本，《漢志》中著錄的六篇本
應該是依據中秘藏本校定。另外，《史記・孫武傳正義》引阮孝緒
《七錄》：「《孫子兵法》三卷，案十三篇為上卷，又有中下二
卷」，所以《吳孫子》八十二篇實際是以舊本十三篇為上卷，另附
中下二卷六十九篇。要而言之，司馬遷著作《史記》時所用書籍皆
為劉向校定之前的舊本，而《漢志》中著錄的書籍皆為經過劉向校
定編撰的新書，依據《敘錄》佚文，可知舊本與新書之間的關係。
研究中國古典，必須首先考察劉向校定的原形，再探究劉向校書之
前書籍的舊形。《史記・孟子傳》記載，《孟子》共有七篇，而
《漢志》則著錄《孟子》十一篇。司馬遷所見的是太史所藏舊本，
而《漢志》著錄的則是劉向校定的新書。東漢趙岐認為，十一篇本
《孟子》分為內書七篇和外書四篇，外書四篇非孟子之言，應該刪
去（《孟子題辭》）。實際上恢復了太史舊藏七篇本《孟子》的舊
貌，也使現行本《孟子》文本比較純粹。另外，現行本《論語》凡
二十篇，是劉向校定《魯論》的形式，伊藤仁齋《論語古義》主張
《論語》二十篇應分為「上論」十篇和「下論」十篇，「上論」最
早編撰，「下論」是為續編，荻生徂徠、太宰春臺皆持此論。所謂

「上下論」實際上也是劉向校書之前《論語》舊本的形態。

　　要之，中國的目錄大別為兩個種類：單純的書籍目錄和附帶解題的書籍目錄。依據目錄和解題可以明確書籍的來歷和存佚，依據分類和解題可以探究書籍的內容。而基於分析目錄解題，訂正古典訛誤，甄別文獻真偽，則是目錄學的中心問題。所以，清儒王鳴盛主張：「目錄之學，學中第一緊要事，必從此問塗，方能得其門而入。」

附錄一

武內義雄的《論語》研究

　　　　　　　　　　　　　　　　　吳　　鵬

一、武內義雄的學問

　　武內義雄是日本著名的中國思想史學家，畢業於京都帝國大學中國哲學專業，師承於狩野直喜、內藤湖南兩教授門下，逐漸形成了以清朝考證學為基礎的學問性格。武內義雄的學問大致可分為兩方面的內容：一為集中日考證學之大成的文獻考證學；二為建立於其文獻考證學基礎之上的中國思想史學。特別值得一提的是，武內義雄將史學研究的方法和哲學研究的方法相結合，從而於日本首先完成了哲學研究、思想研究向中國思想史學研究的飛躍。[1]武內於其近六十年的學術生涯中著有《老子原始》、《老子の研究》、《老子と莊子》、《易と中庸の研究》、《論語之研究》、《中國思想史》、《支那學研究法》等書，後為收錄於《武內義雄全集》（全十卷）之中，其中《論語之研究》一書於昭和十四年（1939）由

1　金谷治：〈武內義雄〉，江上波夫：《東洋學の系譜》（東京：大修館書店，1992 年），頁 250。

岩波書店出版發行。

　《論語之研究》包括〈序說〉和〈結論〉在內凡分為八個組成部分，根據各部分之要旨，筆者認為以第二章〈論語の原典批判〉為界可劃分為前後兩大部分，包括〈序說〉和第一章〈論語の異本及び其の校勘〉的前半部分主要講述漢代以後中國和日本《論語》經本的變遷與注疏史；第二章〈論語の原典批判〉以下的後半部分主要是通過對《論語》的原典批判從而究明其最為原始之貌相。本論於解析此書之內容的基礎上，說明武內義雄《論語》研究的特色及武內學的特色所在。

二、武內義雄《論語》研究的態度

　於《論語之研究》的〈序說〉中，武內義雄概述了日本的《論語》研究狀況，其中將伊藤仁齋《論語古義》、荻生徂徠《論語徵》以及山井崑崙《七經孟子考文》作為重點加以解說，並對仁齋所用原典批判的方法、徂徠所提倡的言語學的態度以及山井崑崙開校勘學之先河給與了相當高的評價，於此基礎之上，武內進而明確規定了自身關於《論語》研究的重點。關於這一點，武內說：

　　並非僅限於《論語》，凡古典之研究必進行兩方面的基礎作業：一為以校勘學確定正確的經本；二為辨析書物之來歷並進行嚴密的原典批判。我國（日本）先儒曾開創《論語》之校勘和原典批判的先河，而清朝考證學者很早既已吸收了校勘學的方法，並於此基礎之上創立了極為細緻的訓詁學，但卻沒有充分的應用原典批判的方法。誠然，於為數眾多的清朝考證學家之中，不乏如同崔述一般敢於對經典進行批判的

學者，但總體而言，在中國的學者看來，經書係頗為神聖之
物切不可妄自加以批判。故而清朝考證學家們並沒有廣泛的
應用原典批判的方法，此實為清朝考據學的一大缺憾。我
（武內）欲以此拙著填補這一缺憾，通過對《論語》的本文
批評從而判定其中各個部分的成立年代，進而明晰孔子思想
最為原始之面目及其展開軌跡。[2]

　　武內義雄認為，校勘學和原典批判為任何古典研究的基礎作
業。所謂校勘是指「通過比較校核異本異文而確定正確的文字，正
確的經本」[3]；而所謂原典批判是指「通過對古典文獻批判性的分
析從而修正傳統通說的謬誤」[4]。於《論語之研究》一書中，武內
尤為重視對《論語》的原典批判，且其原典批判之最終目的並非僅
僅訂正本文中所存在的謬誤，而是通過原典批判的作業，將《論
語》二十章解剖為若干部分，在究明各部分成立年代的基礎之上辨
析先秦儒教的展開經緯。這完全是思想史學的研究方法，是武內所
獨創的學問方法。

三、《論語》註釋書系統的確定

　　同於〈序說〉中，武內義雄說：「選擇具有代表性的《論語》

2　武內義雄：〈論語篇〉，《武內義雄全集》卷 1（東京：角川書店，1978
　　年），頁 43-44。

3　金谷治：〈武內義雄〉，江上波夫：《東洋學の系譜》，頁 251。

4　武內義雄：〈思想史篇二〉，《武內義雄全集》卷 9（東京：角川書店，
　　1979 年），頁 46。

註釋書為《論語》研究的第一步。」[5]然現存《論語》註釋書之多可謂數不勝數，故而必須從中篩選出具有代表性之物，並將其系統化。武內首先對漢代以後的《論語》註釋書加以詳細的解說，在回顧了中國《論語》注疏史的同時亦將古來眾多的《論語》註釋書分為何晏《集解》和朱子《集注》兩大系統。並主張何晏《集解》集古今文學者之大成，研究《論語》應自此書入門，尤其強調應以其中所收錄的包咸注（今文）、馬融注（今文）和鄭玄注（古今文折中）作為《論語》研究的出發點。此種觀點雖為當今學界的常識，但其中卻蘊含著武內自身獨特的學問方法。

　　譬如：為了明確《張侯論》與《包咸注》、《周氏注》之關係，武內對漢代的《熹平石經》進行了詳盡的考證。《熹平石經》既已亡佚，直至宋代才出土部分殘片，其中關於《論語》的校記部分僅有五片，且文字尚不完整。武內以其極為廣博的文獻學知識，以及敏銳的洞察力，通過一系列嚴密的文獻學操作，首先確定五塊殘片的先後順序，而後又補正其上殘缺的文字。[6]

　　又如：據傳《論語鄭玄注》中記有五十條鄭玄的校語，然陸德明《經典釋文》中僅載有二十七條，無人知曉其餘二十三條的內容。武內將現存的二十七條和《漢石經》殘字、《論語鄭玄注》殘本進行比較，從而使既已散佚的二十三條校語得以最大限度的復原，並以所復原的校語為根據，想像了《論語鄭玄注》的內容和特色。[7]

5　武內義雄：《武內義雄全集》卷 1，頁 19。

6　武內義雄：《武內義雄全集》卷 1，頁 19-24。

7　武內義雄：《武內義雄全集》卷 1，頁 25-30。

　　以上所舉實例均為非常嚴密的文獻學操作，顯示了武內以清朝考證學為基礎的學問性格，可以有力的證明武內義雄是文獻考證派的大師。

四、異本系統的確定

　　《論語》係自古以來廣為人知的儒教經典，其異本頗多，可謂數不勝數。故而選擇異本進行校勘確非易事。而武內義雄卻依從「異本之對校貴精善而非貴量多」[8]的原則，將中國唐代的開元石經版《論語》和日本的教隆版《論語》定為標準經本。其中應該注意的是武內用以確定書物系統的方法。其曾於本書（《支那學研究法》）中指出：「欲正諸書之系統，須依據古人之目錄解題書，若無著錄則應根據奧書版式加以判定」，[9]即以目錄學的方法來確定書物的系統。武內確定《論語》經本系統的作業便是從檢討《論語校勘記》、《七經孟子考文》和《論語集解攷異》等書中所記載的引據書目發足的，且其通過比較奧書確定《嘉歷鈔論語集結十卷》和《正和鈔論語集解十卷》之系統的方法亦為值得借鑒。特別值得一提的是，武內對日本的《論語》經本系統的研究頗為詳細，可謂達前人未到之境界。

　　在確定《論語》的標準經本之後，武內將兩者進行對校，留意其間之異同，且參考其他古籍中所徵引的《論語》遺文，最終完全校訂了現行本《論語》，並於昭和十三年（1938）由岩波書店出版發行。

8　武內義雄：《武內義雄全集》卷1，頁65。
9　武內義雄：《武內義雄全集》卷9，頁31。

五、《論語》的原典批判

《論語之研究》一書中，武內義雄最為著重論述的是第二章〈論語の原典批判〉及其以下的部分，堪當此書之主體。

㈠關於《論語》的源流

根據《漢書藝文志》的著錄及何晏《集解》序中所載的「劉向說」可知，西漢時存在《魯論》、《齊論》和《古論》三種《論語》，其中《古論》為漢武帝時自孔子壁中發掘之物，其餘兩論之出所和年代皆不為人知。武內首先調查傳承齊魯二論之學者的生存年代，證明這些學者皆為武帝以後宣、元二帝時之人，故而主張齊魯二論應成立於《古論》以後。關於三論的關係，武內通過比較陸德明《經典釋文》中所記載的鄭玄校語和《說文解字》中所徵引的古文《論語》的字句，明確其間於字形和字音方面所存在的異同，從而得出「齊魯二論實為《古論》出現以後根據讀音之不同而演變出的兩種經本，而《古論》則雖時代之推移不知何時被改寫成隸書，故而出現三論之別，此三論實為同一古壁中所派生出的異本」[10]這一結論。

既然三論為同一系統之物，那麼《古論》問世之前是否存在更為原始的《論語》呢。關於這一問題，武內通過檢討陸賈的《新語》、賈誼的《新書》以及《韓詩外傳》等武帝以前的古書中所徵引的孔子的言語，從而判斷：「現行本《論語》實為武帝以後之物，於此之前曾存在過被稱為傳的孔子語錄。」[11]

10　武內義雄：《武內義雄全集》卷1，頁72。
11　武內義雄：《武內義雄全集》卷1，頁73。

　　既然於武帝以前既已存在孔子語錄，那麼人們不禁要問：此種最為原始之《論語》的雛形到底是何面貌，於現行本《論語》有何關係。針對這一問題，武內義雄提出了震驚學界的新說，即古論出現以前既已存在著如同孔子語錄一般的《齊魯兩篇本》和《河間七篇本》。支持此新說的依據為東漢王充的《論衡‧正說》，然由二百六十四字構成的〈正說篇〉的原文可謂難解之極。故而武內對其進行了大膽的原地批判，並訂正其中十二處被認為存在謬誤的地方。以下為訂正後的〈正說篇〉：

> 說論者皆知說文解語而已。不知論語本幾何篇。但周以八寸為尺。不知論語。所讀一尺之意。夫論語者。弟子共紀孔子之言行。初記之時。甚多數十百篇。以八寸為尺。紀之約省。懷持之便也。以其遺非經傳文。紀識恐忘。故以但八寸尺。不二尺四寸也。漢興失亡。至武帝。發取孔子壁中古文。得二十一篇。<u>齊魯兩篇</u>。<u>河間七篇</u>。<u>三十篇</u>。至昭帝。始讀二十一篇。宣帝下太常博士時。尚稱書難曉。名之曰傳。後更隸寫以傳誦。初孔子後孔安國。以教魯扶卿。官至荊州刺史。始曰論語。今時稱論語二十篇。又失齊魯河間九篇本。三十篇。分布七佚。或二十一篇。目或多或少。文語或是或誤。說論者但知以訓解之問。以纖微之難。不知存問本根。篇數章目。溫故知新。可以為師。今不知古。稱師如何。[12]

12　武內義雄：《武內義雄全集》卷1，頁76。

　　文中施以橫線之處即為武內所立新說的根據。據此武內主張於漢武帝之前存在著被稱為「齊魯兩篇、河間七篇」的最為根本的《論語》異本。

㈡關於《論語》本文的批判

　　既然肯定所謂「齊魯兩篇、河間七篇」早已存在，那麼現行本《論語》二十篇中，哪些部分相當於《齊魯兩篇本》，哪些部分相當於《河間七篇本》。為了解明這一問題，武內義雄以伊藤仁齋的《論語》二分說為基礎，將現行本《論語》的篇目還原於《古論》，並將現行本二十篇區分為三個部分分別攻究。所謂三個部分是指：〈學而篇〉和〈鄉黨篇〉為第一部分；〈為政篇〉至〈子罕篇〉為第二部分；〈先進篇〉至〈堯曰篇〉為第三部分。現行本《論語》中重複之章頗多，如此區分後同一部分中則無重複之章。

　　首先，關於〈學而篇〉和〈鄉黨篇〉的第一部分，武內義雄說：

　　　　〈學而〉記錄孔子及門下弟子之言，而〈鄉黨〉則記錄孔子之行為，兩者合而為一，是為完整的孔子言行錄。如此看來，將此兩篇視為《齊魯兩篇本》並非全無道理可言。又此兩篇中時而出現齊地之方言，這便暗示著此兩篇並非單單形成於魯國，其與齊國亦頗有淵源，故而確可稱之為齊魯兩篇本。例如〈學而篇〉中：「子禽問於孔子曰、夫子至於是邦也、必聞其政、求之與、抑與之與、子貢曰、夫子溫良恭儉讓以得之、夫子求之也、其諸異乎人之求之與」一章之中，「其諸……與」之用例未曾出現在《論語》的其他篇章中。（中略）王應麟於《困學紀聞》一書中即以指出：公羊傳為

齊人所傳之學問，其中存在很多齊地之方言。故而《論語》中存有齊方言之章即為齊人所傳承之物。以上的例文即說明了〈學而篇〉為《齊魯本》之組成部分。其次，〈鄉黨篇〉中的「攝齊升堂鞠躬如也、屏氣似不息者、出降一等、逞顏色怡怡如也」一章中的「逞」字《方言》解為「快也」，並說明其為山東，即齊的方言。（中略）以上之論述若無大過，則可以說〈學而〉、〈鄉黨〉兩篇確相當於《齊魯兩篇本》。

然此兩篇成立於何時呢。〈學而篇〉中「子曰、父在觀其志、父沒觀其行、三年無改於父之道、可謂孝矣」一章中，前兩句和後兩句分別各自獨立存在於鄭本的〈衛靈公篇〉和〈里仁篇〉之中，由此看來〈學而篇〉是由兩種材料編集成一章的。（中略）〈鄉黨〉之中某些部分將孔子直接稱為「孔子」，而某些部分中卻將孔子稱為「君子」，此點暗示著〈鄉黨篇〉亦為由兩種材料編集而的。既然〈學而〉、〈鄉黨〉皆為兩種材料彙編而成，那麼其應該成立與孟子之後。

又根據《孟子》、《禮記》、《論語·子張篇》的記載，孔子歿後不久，有子派和曾子派由於意見相左而互不相容，然兩派學者之研究均為收錄於〈學而篇〉之中，故〈學而篇〉或者成立於孔子在世之時，或者成立於兩派對立即以淡薄之時。而根據以上列舉之理由，此篇絕非成立於孔子在世之時，故而必為孟子以後的編纂物，蓋為孟子游齊之後齊魯學

　　派折中之產物。[13]

　　武內義雄發現〈學而篇〉和〈鄉黨篇〉中存在著不少齊國的方言，據此推測此兩篇可能為編纂於齊魯兩地的《齊魯兩篇本》，又通過分析兩篇中的章句，特別是通過考察言語的使用例，從而判斷此兩篇為由兩種材料彙編而成，最後通過分析兩篇的內容並聯繫《禮記》、《孟子》等書籍的記載，從而判定此兩篇為代表齊學的子貢學派和代表魯學的曾子學派的折中物，必成立於齊魯兩學相接處之後，即孟子游齊之後。

　　其次，關於〈為政篇〉至〈子罕篇〉的第二部分，武內義雄說：

> 通讀〈為政〉至〈子罕〉之八篇後不難發覺前七篇和最後的〈子罕篇〉甚為相異。首先前七篇之任何一篇的篇名，均以篇首除去「子曰」二字後的最初兩字冠名，而〈子罕篇〉則不同。且構成〈子罕篇〉的三十章中有不少被懷疑為後世之作（中略）如果確是這樣，那麼除去〈子罕〉後所剩的七篇很有可能相當於王充所謂的《河間七篇本》。現行本《論語‧述而篇》的「文莫吾猶人」一句中的「文莫」二字，或寫為「侔莫」，表「黽勉」之意，據說為燕國北郊之方言，此點即證明此七篇嘗流傳至燕國，那麼亦很有可能流布至燕之鄰國——趙，而河間即位於趙國。故而可以推定此七篇為漢初經河間獻王之手問世的《河間七篇本》。

13　武內義雄：《武內義雄全集》卷1，頁79-82。

然所謂《河間七篇本》為何種系統的經本呢。通覽此七篇之
內容可知：〈為政篇〉宣揚政治之根本在於孝友；〈八佾
篇〉主講對禮的尊重；〈里仁篇〉示意仁為孔子之道；〈公
冶長篇〉和〈雍也篇〉主要評價孔門諸弟子；〈述而篇〉講
孔子祖述之所以；〈泰伯篇〉連載曾子之言的基礎上頌揚堯
舜之功德。總體來說，此七篇無疑為曾子後學所傳的《論
語》。如進一步將此七篇的內容與《曾子十篇》（收錄於《大
戴禮記》中）、《子思子四篇》（即《禮記》中《中庸》、《表
記》、《坊記》、《緇衣》四篇）及《孟子七篇》相照和比較則
不難發現其中存在著很多相類似的章節，故而我（武內）將
《河間七篇本》定為曾子思孟學派所傳的《論語》經本。
（中略）但是，因為思孟所傳承的孔子語錄並不一定僅僅存
在於《河間七篇本》中，所以不能說唯《河間七篇本》是思
孟學派傳承之物，蓋僅可以說《河間七篇本》為思孟學派學
者所傳之《論語》。[14]

　　關於〈為政篇〉至〈子罕篇〉的第二部分，武內義雄首先指出
〈子罕篇〉中後世續入的內容頗多，應將其視為《論語》的附加部
分。而其餘的七篇中經常出現燕國北郊的方言，而燕國和趙國的河
間相鄰，故而主張此七篇很有可能相當於古老的《河間七篇本》。
關於《河間七篇本》的成立，武內首先明確各章之要旨，據此推定
其為曾子後學所傳承的《論語》，再以本文對照《曾子》、《子思
子》、《孟子》等古書，指出其間相同之章節甚多，並以此佐證

14　武內義雄：《武內義雄全集》卷1，頁83-86。

《河間七篇本》為思孟學派所傳承的《論語》。

關於最後的〈先進篇〉至〈堯曰篇〉的第三部分，武內義雄說：

> 仁齋先生認為此諸篇（伊藤仁齋將〈先進篇〉至〈堯曰篇〉稱為下論）為後人之續纂，應與上論十篇相區別。而崔述通過考察各章內容，區別可信與不可信的部分，其中崔述置疑最多的為〈季氏〉、〈陽貨〉、〈微子〉這三篇。通覽下論則不難發覺此三篇確與下論其他諸篇存在著明顯的相異之處。首先，其他諸篇引孔子言之時皆以「子曰」為始，而〈季氏篇〉中卻為「孔子曰」，此點係最為明顯的相違之處；其次，〈季氏篇〉和〈陽貨篇〉中多處使用分條列說之文體，譬如「君子有三戒」、「有三畏」、「六言六蔽」等等皆與全書之體例不同。而其中與《荀子》和《韓詩外傳》一致的言辭頗多，亦有與《孟子》中一致之語，且其中多處出自《孟子》。接下來的〈微子篇〉中有專門稱讚隱遁者之章，甚至有與《莊子》完全相同的文章。故而此篇之內容是為假託於孔子的道家思想。綜上所述，〈季氏〉、〈陽貨〉、〈微子〉的三篇實為續集之資料，作為史料的價值不高，通讀下論十篇可知，〈先進〉、〈顏淵〉、〈子路〉、〈憲問〉、〈衛靈公〉、〈子張〉、〈堯曰〉等七篇相當於一部孔子語錄。（中略）
> 試以下論七篇比以上論中的兩種《論語》，則不難看出其間之相違。例如：（中略）〈里仁篇〉中講到「管仲之器小哉」，此為貶低管子之語。而〈憲問篇〉卻對管子大加讚

賞，有第十四章「子貢曰、管仲非仁者與、桓公殺公子糾、
不能死、又相之、子曰、管仲相桓公、霸諸侯、一匡天下、
民到於今受其賜、微管仲、吾其被髮左衽矣、豈若匹夫匹婦
之為諒也、自經於溝瀆而莫之知也」一文為證。子貢一生終
於齊國，而管子又為齊國之功臣，故而可以想定以子貢學派
為主的讚揚管子之《論語》為齊人所傳之物。而考察以上七
篇中的方言可知，其中含有大量的齊語，譬如〈先進篇〉中
的「求也為之聚斂而附益之」的「聚斂」為收取租稅之意，
「聚」和「斂」日文訓讀為「あつむ」，但《方言・卷三》
中記有「萃襍集也、東齊月聚」一文，故而可知「聚斂」實
為東齊之方言。（中略）〈憲問篇〉對子產、子西、管仲之
評價可以視為春秋公羊學之濫觴。（中略）〈先進篇〉中對
孔門四科的敘述與《孟子・公孫丑篇》中的「昔者竊聞之、
子夏、子游、子張皆有聖人之一體、冉牛、閔子、顏淵則具
體而微」和「宰我、子貢善為說辭、冉牛、閔子、顏淵善言
德行」之文甚為相似，且比其更為詳密，故而根據此點可想
定此七篇之成立年代。[15]

　　關於第三部分，武內義雄指出〈微子篇〉受老莊思想之影響濃
厚，〈季氏篇〉中非儒家之思想頗多，〈陽貨篇〉中出自《孟
子》、《荀子》中的內容甚多，故而判斷此三篇並非《論語》的原
形，均應該成立於戰國末期以後。其次，此三篇以外的七篇中多使
用齊國方言，所以判定此七篇為成立於齊國為齊人所傳承的《齊論

15　武內義雄：《武內義雄全集》卷1，頁86-89。

語七篇》，再通過檢討此七篇與《河間七篇本》與《齊魯兩篇本》的異同，從而判斷其為子貢子夏學派所傳承的《論語》，為《河間七篇本》的別派。最後根據〈憲問篇〉、〈先進篇〉與《孟子》以及春秋公羊學的關係，證明了《齊論語七篇》成立於《河間七篇本》之後，約為《孟子》以後的時代。

綜上所述，武內義雄通過對現行本《論語》的原典批判，從新組合《論語》的篇目，得出以下結論：

1、〈雍也〉、〈公冶長〉、〈為政〉、〈八佾〉、〈里仁〉、〈述而〉、〈泰伯〉的七篇為於魯國由曾子孟子學派所傳承的孔子語錄──《河間七篇本》，其成立時代最為久遠。

2、〈先進〉、〈顏淵〉、〈子路〉、〈憲問〉、〈衛靈公〉、〈子張〉、〈堯曰〉的七篇為於齊國由子貢學派所傳承的孔子語錄──《齊論語七篇》，其成立年代稍晚於《河間七篇本》。

3、〈學而〉和〈鄉黨〉為《齊魯兩篇本》，是齊學派和魯學派之折中，其成立年代最晚。

4、〈季氏〉、〈陽貨〉、〈微子〉以及〈子罕〉的四篇為後學的演繹和附加，均成立於秦漢之際，不可輕信。[16]

以上為《論語》原典批判的結論，然《論語之研究》一書並未以此為終結，在對《論語》原典批判的基礎之上，武內按照成立時代的先後順序精密考察《河間七篇本》、《齊論語七篇》和《齊魯兩篇本》的思想內容：

《河間七篇本》中孔子的理想在於復興魯國建國之始祖周公

16　武內義雄：《武內義雄全集》卷1，頁192-194。

的禮樂，而且並非指單純於形式上實現禮樂的復興，而是要復興禮樂的精神，故而提倡仁道。而所謂仁道即為忠恕。

與此相對，下論的《齊論語七篇》比較重視禮樂的形式，故而孔子教授顏回「克己復禮為仁」的道理。而孔子又對仲弓說過：「出門如見大賓、使民如承大祭」，接著又附加道：「己所不欲、勿施於人」，此點與「忠恕」之教甚為相似。而〈衛靈公篇〉中僅僅以「恕」一字作為實行仁道之方法。故而可以說，《齊論語七篇》針對仁道之實踐方法只重視「恕」而忽略「忠」，而代之的為重視禮的形式。

然至《齊魯兩篇本》則重視忠信，主張仁道之終極為愛人而有信，因為有信所以才能忠。同時禮亦為所尊重，並且強調「知和而和不以禮節之亦不可行」的道理。而〈鄉黨篇〉中所記錄孔子之一舉一動、一言一行皆為禮之具體表現，此即為對仁道的精神方面和形式方面的並重，實為齊魯兩學派之折中。[17]

　　武內認為據異本成立之順序可觀思想隨時代推移的變遷。最早於魯國成立的代表曾子學派的《河間七篇本》重視禮的精神；稍後成立於齊國的代表子貢學派的《齊論語七篇》重視禮的形式；最後的《齊魯兩篇本》則並重禮的形式和精神，可視為齊學與魯學的折中。即先秦儒學的發展大勢為：孔子歿後以魯國為中心的儒教由統一走向分裂，出現了魯學與齊學的對立，而後又由分裂再次趨於統一，於齊國完成了齊魯兩學的折中。這一結論無疑可視為中國思想

17　武內義雄：《武內義雄全集》卷1，頁194。

史的一部分，而得出此結論之基礎即為對《論語》的原典批判，所以可以說，武內的原典批判是與思想史學相關聯的，是其由文獻考證學飛躍至思想史學的關鍵所在。而以原典批判為基礎展開對思想發展軌跡之探求的方法即為武內義雄所樹立的極具獨創性的中國思想史學的研究方法。

對於武內義雄的原典批判，和辻哲郎評價說：「武內博士不但嚴密的校勘本文，也對原典進行批判，清儒雖使用校勘學的方法，於原典之自由批判卻未充分運用，武內博士將創始於日本的學問緻密精確的展開，可以說是原典批判之正道。」[18]町田三郎先生曾於〈『論語』をどう読みすすめるか〉（如何解讀《論語》）一文中指出：「自春秋末至漢初，《論語》經過了近三百年的編纂，為了避免閱讀《論語》時陷入時代的錯誤，我們應該以武內義雄先生的學說為基礎解讀《論語》，這樣也有助於我們把握孔子思想展開的大概。」[19]可見，武內對《論語》的原典批判是此書最為值得評價的所在，也是其所具有的最大的現代意義。

五、武內學之特色

以上為《論語之研究》一書之大要，其中武內義雄的獨特的學問方法貫穿於其中。首先是其具有獨創性的文獻考證學，武內的文獻學由訓詁學、目錄校勘學和原典批判的三個部分組成。此三種學

18　和辻哲郎：〈武內博士の《論語之研究》〉，《孔子》〈付錄〉（東京：岩波文庫，1988 年），頁 144。

19　町田三郎：〈『論語』をどう読みすすめるか〉，《江河萬里流る—甦る孔子と龜陽文庫—》（福岡：龜陽文庫、能古博物館，1994 年），頁 62。

問方法於《論語》的研究中被運用的淋漓盡致。

訓詁學為解釋經典字句的學問，其中包括字形、音韻、字義的研究。武內在分析考察《論語》本文之時，必將各篇章中的語句訓解為日文，並於難讀之字旁注明讀音，於難解之語旁注明語義，《論語》二十篇無一例外。且關於古代方言的研究更為詳密，從《論語》本文中找出燕、齊等古代地方的方言，並以此作為論斷的佐證，此種方法實為《論語之研究》的一大特色。眾所周知，訓詁學起源於漢代，至清代尤為鼎盛，清儒的考證無不按照嚴格的訓詁學的法則進行，武內義雄完全接受了此種方法，故而可以說武內的文獻學是以嚴密的訓詁為基礎，其研究無不從忠實的解讀原典開始，實事求是的清朝考證學的學風實為武內學之性格。

所謂目錄校勘學是指以目錄學的方法辨別古典之真偽、校勘異本異文、考究版本之系統和源流的學問。武內對《論語》本文進行校勘之際，首先通過檢討《論語校勘記》、《七經孟子考文》和《論語集解攷異》等書中所記載的引據書目從而考訂版本的系統和源流，最終確定可以用於校勘的善本。記載這些書目的書物雖非真正意義上的目錄學專著，但以目錄學作為確定異本系統和源流的方法是毋庸置疑的，也是武內於《支那學研究法》一書中所特別予以強調的。此外以奧書版式確定書籍系統的方法亦為後學所應借鑒。

原典批判是指對古典進行批判性的分析，以訂正傳統通說的謬誤。對《論語》本文的批判是《論語之研究》一書的中心。其對《論語》的批判雖踏襲了日本江戶儒者伊藤仁齋和清儒崔述的研究成果，但其原典批判的方法卻不同於從來的單純比較文章言辭的方法，而是援用了目錄學去考究《論語》的來歷，從而究明《論語》之最為原始的貌相。其結論雖未被學界所完全接受，然此種學問方

法確頗為值得繼承。

通過對《論語》本文的批判從而究明所謂《河間七篇本》、《齊論語七篇》和《齊魯兩篇本》為現行本《論語》的源流,並非武內對《論語》進行批判的最終目的,其最為關心之事則為通過考察以上三部分的成立年代與思想內容來辨析儒學展開的經緯。即於原典批判的基礎上,通過對照比較以上三種《論語》的內容,最終說明了孔子歿後儒學是如何由統一走向分裂,又是如何由分裂走向統一折中的,並且明確其間儒學思想的主流發生了何等變化。這完全是思想史學的研究方法,是武內義雄所獨創的學問方法論。其巨著《中國思想史》一書就是建立於此種以文獻批判為基礎的史學研究法的基礎上的。故而連清吉先生稱武內義雄為日本中國思想史學的始祖[20]。

---

20 連清吉:〈日本現代中國思想史的創始者:武內義雄〉,《鵝湖雜誌》
    393 期(2008 年 3 月),頁 43-52。

附錄二

武內義雄的老莊研究

連清吉

一、老莊著述

　　武內義雄（1886-1966），三重縣人，明治四十年（1907）9 月，入學京都帝國大學文科大學支那哲學史講座，大正十二年（1923）4 月，聘任東北帝國大學法文學部支那哲學史教授。著述《老子原始》（大正十五年，1926），《老子の研究》（昭和二年，1927），《老子と莊子》（昭和五年，1930），《諸子概說》（昭和十年，1935），岩波文庫本《老子》（昭和十三年，1938），《老莊思想》（昭和十五年，1940），於老莊研究有劃時代的成就[1]，開啟日本近代先秦諸子研究的風氣。

　　武內義雄以為中國先秦典籍經劉向歆父子校定而頗失其舊，後世學者又有不少增益，而難窺其原貌。故讀中國先秦古書，必先考

---

[1]　木村英一說武內義雄的老子研究堪稱日本、中國、西洋老子研究史上，劃時代之輝煌成就的著述。見所著〈武內博士の老子研究〉，收載於《武內義雄全集》卷 5（東京：角川書店，1978 年 3 月）〈解說〉，頁 466。

鏡其傳承源流，以回歸漢代之舊，再上溯先秦的原初本貌。[2]於先秦諸子的研究，必先旁搜各種版本，判別取捨而得精善版本，解析文本篇章脈絡文義，對照先秦諸子，探尋他書的引述，然後判定精確的文本。故木村英一強調以確實詳密的文獻學知識為基礎，樹立解讀古典而究明文本原貌，是武內義雄研究中國古典的態度，其老莊研究的特色，在於「復元原典」、「解析原典成立經緯」、「精確解釋原典」、「究明原典意義與價值」。[3]

二、《老子》文本考證

金谷治先生敘述其師武內義雄的學問是以清朝訓詁學，尤其是王引之「舌人意識」為底據，審慎的解釋古典的文句。其譯注的《老子》即是精密訓詁的結晶。而正確解讀古典，除了訓詁以外，又有校正傳承誤衍的必要，乃應用目錄學的方法，以歷代圖書目錄和日本的古抄本，考究異本的源流，判別正確的文本。《老子の研究》是武內義雄運用校勘目錄學而著述的成果。武內義雄以為《老子》有王弼注本、河上公本和唐玄宗御注本三個系統，校定各系統的祖本而取得最古且最正確的原本，才是精善緻密的校勘。又校定正確的文本之外，還需要對原典進行批判性的修正。其所以校定《老子王弼注》，乃由於《王弼注本》缺乏善本，乃參考王弼的注文，考察本文押韻的關係，探討思想內容，修正《王弼注本》。[4]

2　金谷治：〈解題〉，《武內義雄全集》卷 5（東京：角川書店，1978 年 3月），頁 477。

3　同注 1，頁 467-468。

4　金谷治：〈誼卿武內義雄先生の學問〉，《懷德》第 37 號（1966 年），其後收載於《金谷治中國思想論集》卷下（東京：平川出版社，1997 年 9

至於武內義雄之所以用押韻來考證《老子》文本，蓋啟發於俞樾《老子平議》，「道之為物，惟恍惟惚，惚兮恍兮，其中有象，恍兮惚兮，其中有物」：(二十一章)

> 惚兮恍兮二句，當在恍兮惚二句之下。蓋承上惟恍惟惚之文。故先言恍兮惚兮，其中有物，與上道之為物，惟恍惟惚，四句為韻，下文惚兮恍兮，其中有象，乃始轉韻也。王弼注……注文當是全舉經文，而奪其中有物四字，然舉此可知王氏所見本，輕文猶未倒也。

乃用古韻校正《老子王弼注》的文本，更發展成為其研究《老子》的方法論。[5]其於《老子の研究》論述校定《老子王弼注》的方法有㈠區別用韻和無韻的部分。《道德經》文體不一，韻文與散文錯雜，韻文為古代口傳者，散文則是後學敷衍附加者。㈡於用韻的文章，根據用韻校正誤字錯簡，區別章節。比較《老子》異本而無法判定正誤時，或可以韻腳作為判斷的依據，又可用韻腳校正錯倒，又可根據押韻，明確的區分章節。㈢用韻的部分，或有老子後學的文字，綜觀道家變遷大勢，視之為後起思想而刪去。

武內義雄綜括其於《老子》考證校勘，有㈠比較考究現行諸本，以選定正確的文本。㈡旁徵漢人所引佚文，以校訂所選定的文本。㈢根據用韻與否，區別文體的新舊，刪除新出的部分。㈣究明

月)，頁 423-426。

5　見武內義雄：〈學究生活の思い出〉，《武內義雄全集》卷 10 (東京：角川書店，1979 年 10 月)，頁 414-432。

先秦道家發展的變遷，判別後學思想的部分而刪除。㈤檢尋最後剩餘的部分和《莊子‧天下篇》所述老子學說是否一致等五個要點。如此考校或能接近《老子》的原貌。6

　　武內義雄於《老子原始》序文敘述：老子先於孔子，曾為周室官吏，年老出西方之關，應關尹之求，作《道德經》五千餘。此為古來相承的傳說，然可疑甚多，不可採信。有關老子生存年代的問題，《史記‧老子傳》記載：「孔子至周，問禮於老子」，或老子年長於孔子。其實不然，根據《史記》記述老子系譜，老子之子宗，孫注、曾孫宮，宮之玄孫假，假之子解，凡八代。假仕於漢文帝，為膠西王邛太傅，死於漢景帝三年（西元前 154）。一代三十年而推算，老子約為西元前四世紀之人。若孔子問禮事為史實，則老子當生存於西元前五世紀。孔子問禮與老子系譜記事二者之間有約百年的差異，頗有矛盾。就思想發展的順序而論，當以子孫代數推算，老子乃孔子以後之人較為貼切，其生存年代稍晚於子思而早於孟子。至於《道德經》一書非老子講述，乃後學編輯而成，其中錯簡誤衍頗多。欲詳細論述其思想內容，必審慎考證字句篇章，乃以《老子原始》為基礎，運用目錄校勘，文獻考證的「中國學研究法」，辨彰老莊道家人物的思想內涵，考鏡先秦諸道家的源流，著述《老子の研究》一書。書分上下二卷，上卷論述老子傳變遷與道家思想之推移，老子及其後學之年代，秦漢以前道家思想的流變，《道德經》之考察、研究方向與注釋書解題，下卷為《道德經》析義。《道德經》析義旁徵歷來未論及的抄本、古本，博引前人論

6　〈第五章　道德經の研究方針〉之〈七　道德經の批判〉，《武內義雄全集》卷 5（東京：角川書店，1978 年 3 月）老子篇，頁 188-192。

考，選別精善文本與正確訓詁，以為上卷論斷的根據。至於上卷的研究方向則指陳老莊道家研究的取向，具有啟發後學研究導向的意義。町田三郎先生指出：武內義雄《老子の研究》的旨趣，在於審慎的考察道家文獻以作為究明道家思想變遷的基礎。其研究方法是運用目錄學和校勘學，進行文獻的研究和批判，其考證方法和校勘的成果，超越當時學界的水準，宜有極高的評價。[7]因此，木村英一說：「武內博士的老子研究是日本、中國、西洋老子研究史上，劃時代之輝煌成就的著述」[8]。

三、《莊子》成書考

武內義雄於〈莊子考〉[9]，根據陸德明《經典釋文・莊子敘錄》，探究《莊子》文本的源流，究明郭象本與向秀本、司馬彪本的關係，《莊子》內外雜分篇與《莊子》文本變遷。有關《莊子》版本，根據陸德明《經典釋文・莊子敘錄》所載《莊子》注本，可

7　町田三郎：〈道家思想研究史のための覚書―武內・津田兩博士の業績を中心に―〉，《東北大學教養部紀要》15（1972 年 2 月）。其後收入《中國古代の思想家たち》（東京：研文出版，2006 年 2 月），頁 205-230。連清吉中文翻譯〈津田左右吉與武內義雄――關於大正期道家思想之研究〉，《日本幕末以來之漢學家及其著述》（臺北：文史哲出版社，1982 年 3 月），頁 201-225。

8　木村英一：〈武內博士の老子研究〉，《武內義雄全集》卷 5（東京：角川書店，1978 年 3 月）〈解題〉，頁 466-475。又劉韶軍《日本現代老子研究》（福州：福建人民出版社，2006 年 6 月）論述武內義雄的《老子》研究。

9　收載於《武內義雄全集》卷 6（東京：角川書店，1978 年 9 月），頁 239-257。

作為《莊子》文本之考察者，有司馬彪注、孟氏注、崔譔注、向秀注和郭象注五種。又綜輯《隋書經籍志》、《兩唐志》的著錄和先秦魏晉的論述，以為《莊子》主要版本有㈠司馬彪孟氏本五十二篇，內篇七，外篇二十八，雜篇十四，解說三，為漢代以來舊本。㈡崔譔向秀本二十七篇，內篇七，外篇二十，為晉代之刪定本。㈢郭象本三十三篇，內篇七，外篇十五，雜篇十一，以崔譔向秀本為本，又參酌司馬彪孟氏本之新定本。至於《莊子》文本的疏理，則分析陸德明注釋，以：

> ㈠釋文連引司馬彪音而不注崔、向音者，蓋為崔、向本所刪去之文。若一篇之中併存崔、向音連引與不引者，或二篇合為一篇者。

> ㈡文理難通者，與釋文比對，若司馬彪注無之，或為解說之辭散入者。

> ㈢文辭重複而為錯簡者，若司馬彪注有之，則非解說文辭，或為他篇文字而竄入者。

論述郭象本與向秀本、司馬彪本的關係，《莊子》文本的變遷。

　　關於郭象本與向秀本，所謂郭象注竊向秀注之說，見於《世說新語・文學篇》，《晉書・郭象傳》沿襲《世說新語》的載記。援引《四庫提要》比較列子注所引向秀注和郭象注，斷定《世說新語》與《晉書》所謂「（郭象）竊（向秀注）以為己注，定點文句」殆非無證。進而檢尋《列子・黃帝篇》張湛注，其連引向秀注者，凡五章。應帝王篇「鄭有神巫章」，達生篇「痀僂丈人章」，《四庫提要》既有詳論，乃考察其他三章，即人間世篇「汝不知夫養虎者乎章」，達生篇「子列子問關尹章」與「顏淵問仲尼章」，而有「張湛因襲向秀注者」，「郭象竊向秀注而定點文句者」，「郭象

襲向秀注」，「郭象不取向秀注而自注」，「郭象襲向秀注而省其
文字者」，「郭象於向秀注外，加上己說」，「郭象刪除向秀
注」，「郭象注與向秀注有異」等例證，論斷「郭象有竊向秀注
者，亦有自注者，而大抵因襲向秀注」。

　　至於郭象如何取捨向秀注，武內義雄以為㈠郭象頗減省向秀注
義，㈡不僅改變注文而於莊子文本亦有取捨之跡，㈢其外、雜篇的
區別及每篇分合亦有不同。首先比較《世說新語・文學篇》注引向
子期、郭子玄逍遙遊義和今本郭象注文。證明郭象頗減省向秀注
義。

　　其次，舉《釋文・逍遙遊篇》「聾者無以與乎鐘鼓之聲」句下
注「向本有眇者無以與乎眉目之好夫，刖者不自為假文履夫」，說
明郭象取捨向秀本。舉《列子・天瑞篇》「生物者不生，化物者不
化」，張湛注曰「莊子亦有此文」，然郭象本無之，說明郭象因襲
向注，不僅改變注文，於莊子文本也有取捨之跡。

　　至於外、雜篇的區別及每篇分合的不同，釋文敘錄所載，向秀
但注內外篇而不及雜篇，其音三卷亦止於內七篇與外二十篇。然釋
文所引向秀音、崔譔注不止於內外篇，雜篇亦有及之。故郭象本雜
篇似有屬於向、崔本外篇的文字。疏理釋文所引向、崔音注而見於
郭象本之外雜篇者，為：

外篇：駢拇、馬蹄、胠篋、在宥、天地、天運、繕性、秋水、
　　　至樂、達生、山木、知北遊

雜篇：庚桑楚、徐無鬼、則陽、外物、寓言、漁父、列禦寇、
　　　天下

以上二十篇正符合釋文敘錄崔譔本外篇二十之數，或為向、崔本的
外篇。若然，則郭象本與向、崔本的外、雜篇有所不同。又郭象本

外雜篇文字有向、崔文本所無。如：

　㈠在宥篇「世俗之人皆喜人之同乎己」以下二章，釋文不引
　　向、崔、司馬注。

　㈡秋水篇前半文義連屬，而後半「夔憐蚿」以下六章意味不連
　　貫，前半釋文引用崔音十七，向音二，後半則無一引述。

　㈢天下篇前半引向、崔音者多，後半「惠施多方，其書五車」
　　以下全無引述。《列子‧仲尼篇》文字與此篇後半相似，張
　　注亦不引向注。《北齊書‧杜弼傳》有「杜弼注莊子惠施
　　篇」之記載，或莊子有惠施篇，此篇後半或即惠施篇。

可知郭象有增益向、崔文本者，其所增補者，有向、崔取捨之外雜
篇文字，郭象又據司馬本而附加之。換句話說，郭象文本以向秀本
為主，又取司馬本而增補，唯其篇章次第分合未必從向秀文本，各
篇文字亦有所改定，郭象注多沿襲向注，頗多向秀無注而郭象自注
者。

　　至於司馬彪本與郭象本的關係，武內義雄以為郭象本篇數不及
司馬本三分之二，然有天下篇之合司馬本及崔、向本二篇為一篇
者，故郭象文本內容或僅司馬本之半。考察郭象刪除不取者與司馬
彪本佚篇的內容，或可究明郭象刪定之旨趣。釋文敘錄：

> 莊子宏才命世，辭趣華深，故莫能暢其弘致，後人增足，漸
> 失其真。故郭子玄云，一曲之士，妄竄奇說，閱奕意脩之
> 首，危言遊鳧子胥之篇，凡諸巧雜，十分有三。漢書藝文
> 志，莊子五十二篇，即司馬彪孟氏所注是也。言多詭誕，或
> 似山海經，或似占夢書。故注者以意去取，其內篇眾家竝
> 同，自餘或有外而無雜，唯子玄所注，特會莊生之旨，故為

世所貴。

則郭象所刪去的是關奕、意循、遊鳧、卮言、子胥等篇，其內容多類似於《山海經》、占夢書、《淮南子》，皆「言多詭誕」，為郭象所刪除不取者。換句話說，司馬彪本的內容頗為駁雜，郭象刪定本大抵去其榛蕪而存菁華。此外，〈史記本傳〉所載畏累虛篇，《北齊書‧杜弼傳》所記惠施篇，《南史‧文學傳》何子朗擬莊周馬捶而作敗冢賦，則馬捶亦為《莊子》佚篇之名，《文選》李善注引淮南王略要和淮南子莊子後解，當皆為司馬彪莊子之篇名。

所謂引淮南王略要者，《文選》江文通雜體詩注，謝靈運入華子岡詩注，陶淵明歸去來辭注、任彥昇齊晉凌文宣行狀注引之曰：「淮南王莊子略要曰江海之士，山谷之人，輕天下細萬物而獨往者也。司馬彪曰獨往任自然，不復顧世。」可知其為莊子逸篇無疑。清儒俞正燮曰：「彪本五十二篇中有淮南王略要，或漢志五十二篇，為淮南本入秘書讐校者」（癸巳存稿十二），即以之為司馬彪本之逸篇。又沈欽韓《漢書疏證》謂莊子後解者《淮南子‧外書》之佚篇，李善先引《莊子》而後述後解，則莊子後解非《淮南子》之佚篇，似指《司馬彪本莊子》末尾三篇解說。故解說三篇或為淮南王門下之士解釋莊子的文章。

有關內外雜篇區分的問題，今本《莊子》為郭象所定，其外雜篇之區別與崔、向文本有異，則郭象所定外雜的分篇次第未必是《莊子》原貌。郭象本駢拇至在宥之數篇於司馬彪本未必屬於外篇，在宥篇末尾二章似屬於雜篇。秋水篇前半可歸於外篇，其後半了無連屬之短篇當屬於雜篇。其他諸篇可以之判準而釐析，外雜之別自可明瞭。換句話說，郭象本莊子有去其蕪雜而存菁華者，可取

之所在頗多，然亦有篇次淆亂之缺失。不僅外雜篇之分章混亂，內篇亦有雜錯分離的所在。如：

　　大宗師「夫大塊載我以形，勞我以生，佚我以老，息我以死。故善吾生者乃所以善我死也。夫藏舟於壑，藏山於澤，謂之固矣，然而夜半有力者負之而走，昧者不知也」一節，《淮南子·俶真訓》亦有此文，然《淮南子》佚作逸，息作休，走作趨，昧作寐，於「逸我以老」下注曰「莊子曰生乃徭役，死乃休息也，故曰休我以死」。此為後漢高誘注，其意以「生乃徭役，死乃休息也」為《莊子》之文，故曰以下四字為《淮南子》之文。然而今本《莊子》無上九字，但存「休我以死」而已。檢尋《列子·天瑞篇》張湛注，有「莊子曰生乃徭役，又曰死乃休息也」，又有「大塊載我以形，勞我以生，佚我以老，息我以死耳」四句皆為《莊子》之文。按《呂氏春秋·必己篇》注曰「莊子著書五十二篇」，則高誘所見與司馬彪本同。

　　又陸氏釋文或注記有「崔本以下更有某某等幾字」。如齊物論「物固有所然，物固有所可，無物不然，無物不可」，注有「崔本此下更有可於可而不可於不可，不可於不可而可於可」。大宗師「成然寐，遽然覺」，注有「向崔本此下更有發然汗出一句」。詳細考索前後文字，崔本文句或有散入解說文辭者，如「成然寐，遽然覺」六字與「發然汗出」似為解說之辭，郭象但刪除「發然汗出」一句而殘存「成然寐，遽然覺」六字。

　　綜上所述，於《莊子》外雜篇之分合，古來注釋家多以意取捨而不一。內篇皆存七篇，陸氏釋文明記「其內篇眾家竝同」。然此猶大體而論，內篇文本語句異同出入者尚有不少。其所以有出入者，蓋以外雜篇文字移入內篇，或解說文辭散入者，後之刪修者雖

削除移錄竄入而有所未盡。因此，《莊子》文本的變遷為：

㈠漢志所載五十二篇，以內七外二十八雜十四解說三而成。初
　為淮南王門下所傳，後秘書校訂，內篇輯錄近於莊子本義
　者，外篇為莊子後學之說及內篇重複而異者，雜篇載錄短章
　佚事，解說是淮南王門下之文。此為司馬彪孟氏所注之舊
　本。

㈡晉崔譔刪五十二篇本為二十七篇而作注。其內七篇因襲司馬
　彪本之舊而或有外雜篇文字移入內篇者，亦有解說文辭散入
　內篇而便於讀覽之所在。

㈢郭象注三十三篇以向秀注為本，或有據司馬彪本而補入者。
　內七篇為向秀注之舊，有解說之辭及重複之文與司馬彪本有
　所不同。外篇十五雜篇十一篇中，有崔、向本所刪去之短篇
　逸事而據司馬彪本補足者。

四、老莊思想的流衍：中國思想史學的證成

武內義雄於〈老莊思想〉[10]綜述先秦到漢初儒道發展源流。其
以為春秋戰國在政治上是亂世，而在文化史上是言論自由，思想最
蓬勃的時代，人材輩出而百家爭鳴。《漢書・藝文志》沿襲劉向、
歆父子《七略》而分諸子為九流，追溯其流衍，墨家與陰陽家是儒
家的歧出，名家是墨家的流裔，法家、縱橫家與農家主張雖殊，要
皆道家的支流。故細分諸子學說可得九家流派，而溯其本源則歸於
儒家與道家二大主流。至於儒道學說主旨的形成與其生存地域的歷

---

10 收載《武內義雄全集》卷 5（東京：角川書店，1978 年 3 月），頁 438-
463。

史風土有密接關連。

㈠老子

　　《史記‧老子傳》記載：「老子名聃，姓李，楚苦縣厲鄉曲仁里人」。厲鄉曲仁里在今河南省歸德南方鹿邑縣東十里。姚鼐《老子章義‧序》記述李姓昔為宋國之姓。又舉《莊子‧寓言》、《列子‧黃帝》載記楊朱往沛見老子，沛今江蘇省徐州沛縣，昔屬宋國領域，主張老子非苦縣人而是沛縣人。至於莊子為蒙人，任漆園吏，今曹縣西有漆園城跡，歸德東北二十五里有蒙城。因此，老莊思想流傳的所在是以歸德為中心，昔屬宋國之地。歸德又稱商邱，為殷的發祥地，周武王滅紂，封微子於殷，而立宋，維持殷商故俗，享其祭祀而保存其文化。儒家起於以今山東曲阜為中心的魯地，周公封其子伯禽於魯，魯為周室宗親藩屏，重視周朝禮樂的習俗。由於歷史淵源，魯、宋的風俗文化自有差異。道家思想興起於殷商後裔之宋地文化，與儒家以再興周朝為終極的文化殊異。孔子尊崇周公而再興周朝禮樂，老子絕棄仁義，去禮樂而以卑弱自持。興於魯的儒家文化流傳至衛，起於宋的道家思想擴張到楚。衛為周公弟康叔的封地，與魯為兄弟之邦，故以魯為中心的儒學流傳於周室藩屏諸侯之間。楚國地處南方，被中原諸國卑視為文化未開的蠻夷，屈辱之感與宋同[11]，故楚未必接受魯、衛之儒學而與宋之道家思想有共鳴。

11　《左傳‧昭公十二年》：「（楚靈王）曰昔我先王熊繹與（齊）呂伋、（衛）王孫牟、（晉）燮父、（魯）禽父竝事康王，四國皆有分，我獨無有。今使人於周，求鼎以為分，王其與我乎。（右尹子）對曰⋯⋯齊、王舅也，晉及魯衛，王母弟也，楚是以無分而彼皆有。」

　　孔子以周朝禮樂復興為志，以仁為禮的精神，以人的親和而構築安和社會。主張仁為人的天賦本能而稱之為天命，以天命的直覺而說忠恕為行仁之方。孟子繼承孔子天生仁心而主張性善說。然老子以為仁心起源的天之上，有更根本的道的存在。所謂「有物混成，先天地生」（二十五章），「道沖而用之或不盈，淵兮似萬物之宗」（四章），即以為道先天地而生，為萬物的根源，故在儒家的天命之上。又道是超越人之視聽感覺的絕對性存在，不能以吾人差別性言語來形容。如「視之不見，名曰夷，聽之不聞，名曰希。……復歸於無物，是謂無狀之狀。無物之象，是謂恍惚」（十四章），所謂「無物」、「無狀之狀，無物之象」皆意味著道是超越人為分別和認知的存在。唯老子的「無」不是「空無」，是無法言說的「實在」，若強為說明，則「道之為物，惟恍惟惚。恍兮惚兮，其中有物，惚兮恍兮，其中有象」（二十一章），似「恍惚」的存在。雖然如此，在超越人之感覺的窈冥之中，又有永久不變的真實存在，謂之「常」。「道可道，非常道。名可名，非常名。無名，天地之始，有名，萬物之母」（第一章），「常道」者，在恍惚窈冥中，永久不易的真理。故《老子》之「道」有「無」與「常」的兩面性，是常而無的存在。無是超越人的知覺而不是空無，蓋萬物以道而流轉還滅。如《韓非子·解老篇》所謂：「萬物得之以死，得之以生，得之以敗，得之以成」，而《老子》十六章「夫物芸芸，各復歸其根，歸根曰靜，是謂復命，復命曰常」，則萬物生生變化而不已，出於道而復歸於道，此萬古不易的真理。道是絕對無差別而不易的存在，萬有現象則以流轉而形成對立。在現象界是「有無相生，難易相成，長短相形，高下相傾，音聲相和，前後相隨」（二章），唯此只是道周行過程中的現象，是一體的兩

面，即「禍兮福之所倚，福兮禍之所伏」（五十八章）。然世人執著於心知價值的判斷，避禍而追福，惡卑下而貴高尚，故禍亂滋生而人物皆不能終其天命。老子乃說「知其雄，守其雌，為天下谿，……常德不離，……知其榮，守其辱，為天下谷，……常德乃足，復歸於樸」（二十八章），「弱之勝強，柔之勝剛，天下莫不知，莫能行」（七十八章），而以「卑弱自持，濡弱謙下」作為處世的要道。

㈡老子後學：關尹、列子、楊朱與田駢、慎到

《漢書‧藝文志》載記道家著述三十七種，除老子、莊子以外，特別值得注意的是關尹、列子、楊朱三人。《呂氏春秋‧不二篇》謂「關尹貴清」，《莊子‧天下篇》說「關尹其動若水，其靜若鏡，其應若響，芴乎若亡，寂乎若清」，即關尹主張，要歸於「清」。清與靜同音相通，「寂乎若清」即「寂乎若靜」，不假外求而保持平靜，不假外求即去欲。關尹去欲較諸老子「濡弱謙下」，有轉向內面修為的傾向。《呂氏春秋‧不二篇》謂「列子貴虛」，《列子‧黃帝篇》記述列子學於老商九年而去是非利害之念，關尹說列子去智巧果敢，可知所謂「列子貴虛」是去智巧而棄是非利害的判斷，人之所以興起欲念，乃以人執著於是非利害，故列子捨智巧而貴虛，比關尹的「貴清」又加深內在修為。楊朱言說散見於《列子》、《莊子》、《韓非子》、《呂氏春秋》，而《孟子》、《淮南子》亦有所批評。《淮南子》稱楊朱「全生保真，不以物累形」，《列子‧楊朱篇》亦記述人常苦於壽、名、位、貨，而四者命定無關本性，宜棄絕而全性保身。又相對於墨家重名貴公而唱「拔一毛以利天下而不為」的個人主義，故孟子批判「楊朱為我」，《呂氏春秋》說「陽生貴己」。換句話說，老子之後，道家

思想二分，一為關尹、列子之主靜虛，一為楊朱、魏牟之重全性。前者以去私意，捨知慮而守靜虛，發揮天賦本性為要，後者為我貴己，主張全身保真。靜虛派為田駢、慎到的先驅，全性派是莊周思想之所由。

　　齊威王、宣王在位的五十七年間是齊國最繁榮的時代，都城臨淄是文化中心，學者淵藪，稷門談士聚集，盛極一時。稷下道家學者主要有環淵、田駢、慎到三人。環淵學說今不詳。《莊子・天下篇》記載「公而不黨，易而無私，決然無主，趣物而不兩，不顧於慮，不謀於知，於物無擇，與之俱往，古之道術有在於是者，彭蒙、田駢、慎到聞其風而說之，齊萬物以為首。……慎到棄知去己，……豪傑相與笑之曰慎到之道，非生人之行而至死人之理，適得怪焉。田駢亦然，學於彭蒙，得不教焉。彭蒙之師曰古之道人，至於莫之是，莫之非而已」，與列子去是非判斷而守虛靜的主張一致，或紹述列子。然《呂氏春秋・不二篇》稱「陳駢貴齊」，陳駢即田駢，以田駢持萬物平等之論而未言及慎到。《荀子・解蔽篇》評「慎到蔽於法而不知賢」，《漢書・藝文志》記載田子二十五篇歸之於道家，而將慎子四十二篇列於法家，可知田駢、慎到學說自有區別，前者說萬物齊同的哲學，後者排斥人知而倡導法治主義。《莊子・天下篇》「齊萬物以為首，……知萬物皆有所可，有所不可，故曰選則不徧，教則不至，道則無遺者矣」，乃記述田駢的學說，至於慎到則是「棄知去己」，即不主知慮，不知前後，譏謗聖知而以法求治。田駢說萬物齊同，與莊子齊物論有所關連，慎到絕聖棄知而貴法是道家到法家的轉向，為韓非的先驅。

㈢莊子

　　莊子的中心思想是齊物論與全性說，前者在〈齊物論〉，後者

見於〈逍遙遊〉和〈養生主〉。〈齊物論〉說：「天地與我並生，萬物與我為一」，然人不知一體之理而區別萬物，競逐於是非真偽，是非真偽的區別是不通萬物一體之理而執著於部分，拘於小成之所致。天地萬物非孤立的存在，乃相互依存，「彼因於是，是亦因彼」，既是空間的相互依存，「方生方死，方死方生」，又是時間的相互依存。即所有現象皆是時空的相互依存，故萬物同體而不孤立。若以差別而議是非，以長短而分高下，是割裂全體的一偏之執。萬有存在譬之為「環」，立於「環中」始能解消彼此對立是非。所有現象皆無窮回轉，解消彼此是非的境地，謂之「道樞」。心知執著於差別，則有是非對立，自「道樞」見之，則萬有皆絕對平等，謂之「天鈞」，即自然平等。莊子說「聖人和之以是非，而休乎天鈞」，即捨棄心知執著而因循於自然平等之理。《莊子》的齊物論或可稱之為宇宙論，至於「田駢貴均」，即田駢萬物齊同的主張或為《莊子・齊物論》的淵源。

　　楊朱學說要歸於「全性保真」，〈養生主〉說：「為善無近名，為惡無近刑。緣督以為經，可以保身，可以全生，可以養親。」「身」者「真」，「生」者「性」，「親」者「身」的假借，「保真全性」，以養身，即「全性保真」之義。楊朱主張「全性保真」而捨棄名譽地位財產的執著，「至人無己，神人無功，聖人無名」是〈逍遙遊〉通篇主旨所在，「無功、無名」是楊朱學說的繼承，「無己」則異乎楊朱的「貴己、為我」，或取法於田駢以天地萬物為一體而否定個別我執的哲學，而主張解消心知是非執著，以遊於無何有之鄉的自然逍遙。

　　莊子的宇宙論是祖述田駢，處世之方則繼承楊朱，綜合二者而成一家之言，堪稱道家思想的集大成。莊周宋人，以漆園吏，足跡

未必及於四方，楊朱亦為宋人，莊周固受楊朱的影響，田駢晚年逐於齊而為薛孟嘗君的賓客，薛近於宋，莊周或許也受到田駢的影響。莊周思想或先學於楊朱，後受田駢的影響。

《呂氏春秋‧不二篇》論「老子貴柔，關尹貴清，子列子貴虛，陳駢貴齊，陽生貴己」。老子以卑弱自持，濡弱謙下為處世要術，以卑近為教。關尹主於內在修為而貴清，以去欲為教。列子更深入內在，以欲起因於是非批判，而以捨棄價值判斷為教。田駢受列子影響，捨知慮去是非而唱萬物齊同之哲學。關尹至田駢大抵同一徑路而逐漸深入內在修為，以守虛靜而發揮道的妙用。楊朱奉老子之教而異於關尹田駢，別立一派，以全性保真為處世的要術。莊周既繼承楊朱全性保真之說，又採取田駢貴齊之論，唱棄絕我執而從自然之說。

㈣老莊與易傳

易本為占筮之術與儒家未必有所關連，《論語》以詩、書為經典，於易則不然，《孟子》則不論及易。然《列子》有關於易的記事，《莊子‧天運篇》有「六經」之稱，〈天下篇〉則謂「易以道陰陽」。故先秦之際，道家之重易甚於儒家。《易》說吉凶悔咎，《老子》有「不知常，妄作凶」（十六章），「富貴而驕，自遺其咎」（九章），《莊子‧庚桑楚》引老子之言而說「老子曰衛生之經，能抱一乎，能無卜筮而知吉凶乎」。《管子‧心術篇》亦言：「專於意，一於心，耳目端，知遠之證。能一乎，能毋卜筮而知吉凶乎」。是道家論卜筮之證。《易》重象，《老子》有「惚兮恍兮，其中有象」（二十一章）「大象無形」（四十一章）。《易》舉「牝馬」、「牝牛」，《老子》說「玄牝之門」。要皆意味《易》與道家思想淵源甚深。至於《老子》剛柔相對，捨剛而取柔，

《易》〈彖傳〉與〈象傳〉則取剛柔之中，蓋意味老子貴柔說轉移至儒家中庸說的徑路。《漢書‧藝文志》說明道家者流「清虛以自守，卑弱以自持，……易之謙謙，一謙而有四益，此其所長也」。然《易‧謙卦‧彖傳》曰「天道虧盈益謙，地道變盈流謙，鬼神害盈福謙，人道惡盈好謙」。《漢志》以為道家之教，出自於《易》，實則道家之教入於《易》，蓋捨剛取柔之說而衍生尊剛柔中正，是思想發展的進程。

　　「易」一字未見於《易》經文與〈彖傳〉與〈象傳〉，至〈繫辭〉、〈文言〉始出。《列子‧天瑞篇》所謂「太易」之「易」，與《老子‧十四章》「視之不見，名曰夷」之「夷」字同音相通。今本《老子》「夷」字，據范應元《集註》，王弼本與傅奕本作「幾」，或「易」為「幾」的假借。至於「易」的本義，如〈繫辭傳上〉所謂「夫易，聖人所以極深而研幾也。」〈繫辭傳下〉「子曰知幾其神乎，……其知幾乎，幾者動之微，吉之先見者也」，即「幾」之意。引伸「幾者動之微」之義，則有「物之生機」，與「生生之謂易」的「易」義相通。〈繫辭傳〉說「天地大德之謂生」又說「天地絪縕而萬物化醇，男女構精而萬物化生」，是以宇宙之道為生生的大作用，與《老子》以道為生生的原動力相通。故「易」的名稱或起於道家之間而轉移至儒家經典。〈繫辭傳上〉說：「易無思也，無為也，寂然不動感而遂通天之故」，以「無思、無為」的道家思想說明「易」理。可知《易傳》融入不少老莊之道家思想。因此，可以說〈彖傳〉與〈象傳〉將老子思想衍化發展而形成儒家的中庸說，〈繫辭傳〉、〈文言傳〉推演〈彖傳〉與〈象傳〉之說，而與儒家中庸哲學相通。此為先秦儒道思想史變遷的軌跡。

五、開啟日本近代先秦諸子研究的風氣

　　武內義雄老莊研究的特色在於以確實詳密的文獻學為基礎，判別精善文本，究明其原貌，解讀其內容。木村英一以為解讀古典，究明其真相時，大抵有復元原典，究明原典成立經緯，正確解讀原典，究明原典的意義與價值等四個問題。推崇武內義雄以實證該博精細之考證學與目錄學的運用，復元老莊原典，究明老莊原典成立的經緯，是其卓越研究的所在。雖然津田左右吉於武內義雄以韻文傳誦為本初原始，散文說明為後人敷衍的論斷《老子》文本是臆測，老莊思想的理解與道家思想發展的究明未必符合個人與社會生活的現實真相。[12]

　　但是木村英一以為武內義雄取《王弼本》作為《老子》定本，而對照道藏本、明和本，並參考他書所引王注而校正《王弼本》的誤謬。然如晁說之政和乙未記與熊克乾道庚寅跋，《王弼注本》誤謬甚多，善本難得。如何校正《王弼本》而制作更精善的定本，是今後的課題。至於《河上公注》的復元，武內義雄集校敦煌出土唐代抄本，鎌倉室町傳抄奈良平安朝流傳舊本與唐代碑銘而成岩波文庫本《老子》。然近年新資料逐漸發現，制作更精善的《河上公注》定本，也是今後的課題。近三十年來的道教研究以道教和老子

---

[12] 有關津田左右吉與武內義雄老莊論述的研究，參考町田三郎：〈道家思想研究史のための覚書─武內・津田兩博士の業績を中心に─〉，《東北大學教養部紀要》15（1972 年 2 月）。其後收入《中國古代の思想家たち》（東京：研文出版，2006 年 2 月），頁 205-230。連清吉中文翻譯〈津田左右吉與武內義雄──關於大正期道家思想之研究〉，《日本幕末以來之漢學家及其著述》（臺北：文史哲出版社，1982 年 3 月），頁 201-225。

的關係，道教經典《河上公注本》形成經緯研究為目標，蓋以武內
義雄研究成果為基礎的展開。至於新出的《想爾注本》與民間新興
宗教之三張道教有關，馬王堆帛書與《史記》以前的黃老或法家之
學有關，其思想史料的文獻考證與道家思想流衍的究明，都是今後
的課題。13

　　探究老莊文本的原貌，以文獻考證作為思想變遷論述的根底，
樹立「中國思想學」是武內義雄老莊學的特質。其後，金谷治、木
村英一、福永光司、森三樹三郎等學者繼承鑽研，故武內義雄的老
莊研究堪稱，開啟日本近代諸子學研究風氣的先驅。

13　木村英一：〈武內博士の老子研究〉，《武內義雄全集》卷 5（東京：角
　　川書店，1978 年 3 月）〈解題〉，頁 466-475。

國家圖書館出版品預行編目資料

中國學研究法

武內義雄著，吳鵬譯. – 初版. – 臺北市：臺灣學生，2016.5
面；公分：

ISBN 978-957-15-1686-8 (平裝)

1. 中國學 2. 治學方法

030.31   10401908

中國學研究法

著　作　者：武　　　內　　　義　　　雄
譯　　　者：吳　　　　　　　　　　　鵬
出　版　者：臺　灣　學　生　書　局　有　限　公　司
發　行　人：楊　　　　　雲　　　　　龍
發　行　所：臺　灣　學　生　書　局　有　限　公　司
　　　　　　臺北市和平東路一段七十五巷十一號
　　　　　　郵 政 劃 撥 帳 號 ： 0 0 0 2 4 6 6 8
　　　　　　電　話　：（0 2）2 3 9 2 8 1 8 5
　　　　　　傳　眞　：（0 2）2 3 9 2 8 1 0 5
　　　　　　E-mail：student.book@msa.hinet.net
　　　　　　http：//www.studentbook.com.tw
本 書 局 登
記 證 字 號：行政院新聞局局版北市業字第玖捌壹號
印　刷　所：長　欣　印　刷　企　業　社
　　　　　　新北市中和區中正路九八八巷十七號
　　　　　　電　話　：（0 2）2 2 2 6 8 8 5 3

定價：新臺幣三五〇元

二　〇　一　六　年　五　月　初　版

03013　　　
ISBN 978-957-15-1686-8 (平裝)